MAN GWYN

MAN GWYN

Rhai atgofion am blentyndod

GRUFF ROBERTS

Argraffiad cyntaf Rhagfyr 2008

ISBN: 978-1-904845-76-8

Mae'r cyhoeddwyr yn cydnabod cefnogaeth ariannol
Cyngor Llyfrau Cymru

Lluniau gan Wil Rowlands

Cyhoeddwyd ac argraffwyd yng Nghymru
gan Wasg y Bwthyn, Caernarfon

CYNNWYS

Cyflwynedig i'm plant,
Catrin a Silyn,
ac i'w plant hwythau:
Gethin, Lowri, Lois a Betsan,
Saran, Mared, Anest ac Elain

DIOLCHIADAU

Carwn ddiolch i bawb a fu'n gefn i mi wrth i'r atgofion hyn gael eu llunio. Diolch i ddechrau i'r Eisteddfod Genedlaethol am ddenu ac i'w beirniaid am eu sylwadau caredig. Diolch hefyd i Wil Rowlands am y lluniau, ei gymorth a'i gefnogaeth. A diolch yn bennaf oll i Wasg y Bwthyn a'i staff hynaws a chymwynasgar am ddod â'r cyfan at ei gilydd.

Gwaith anodd yw rhoi eich bys ar y ffenomen lithrig honno y rhown yr enw plentyndod iddi. Dibynnu, mae'n debyg, ydi'r elfen greiddiol. Dibynnu ar bobl, ar le, ar amser, ar enynnau, ar ddiwylliant, ar amodau, ar amgylchiadau ac ar y llu pethau eraill sy'n ein naddu, yn ein ffurfio, ac yn dechrau ein helpu i ddod o hyd i dir daear y gallwn fwrw gwreiddiau a thyfu ynddo. Ar dir y ddaear honno y dechreuwn ni adeiladu'r bydoedd y mae pawb ohonon ni yn eu hadeiladu i ni'n hunain, rai ohonyn nhw yn fydoedd unigryw a phersonol, a rhai y mae eraill yn rhan o'u saernïo.

Mae'r gyfrol 'Fy saith Mlynedd Gyntaf – a 'chydig bach rhagor' gan y dramodydd Eidalaidd, Dario Fo, wrth ategu hynny, yn dechrau gyda'r geiriau *'Mae popeth yn dibynnu ar fan eich geni'.* Tref Amlwch, ar lannau gogledd-ddwyrain Ynys Môn oedd y fan arbennig honno yn fy achos i, ac yno y cefais i fy nghyfran deg iawn o'r 'popeth' rhyfeddol hwnnw sy'n dod yn sgil y fraint o gael eich geni. Yno, felly, y mae fy ngwreiddiau ac yno y dechreuwyd adeiladu fy mydoedd . . .

MYND YNO

Os ewch chi ar daith ddychmygol ar adenydd rhithiol a rhyfeddol y meddalwedd cyfrifiadurol *Google Earth*, sy'n gallu dangos pob tŷ a stryd yn Los Angeles neu Phoenix, Arizona, gydag eglurder rhyfeddol, byddwch yn sylweddoli'n fuan iawn bod y sawl a'i lluniodd yn ystyried fy nhref enedigol i yn un ddi-nod a dibwys. O leiaf yn rhy ddi-nod i gael ei hystyried yn gyfwerth â'r mannau hynny. Y cyfan a gẹwch chi ar eich sgrin, o roi enw'r dref yn y blwch chwilio, yw rhyw gawdel annelwig a chymylog o gymysgedd o liwiau digon diystyr. Felly, os ydych chi'n dymuno gweld y dref go-iawn, does dim amdani ond rhoi eich ffydd mewn technoleg o fath llai uchelgeisiol, rhoi eich bryd ar ddwy neu bedair olwyn, troi eich golygon tua Gwynedd a Phont y Borth, a chroesi'r Fenai i Ynys Môn.

Er nad oes ganddi unrhyw beth tebyg i Eryri i ymffrostio ynddo, byddwch yn gweld yn fuan iawn mai celwyddgwn yw'r rhai sy'n dweud nad oes i Ynys Môn ddim byd amgenach na gwastadeddau undonog a di-goed. Mewn fawr o dro, wrth i chi deithio tua'i gogledd ar hyd yr A5025 bydd pantiau a bryniau Pentraeth yn tanlinellu'r realiti hwnnw a thoc ar ôl i chi ddringo'r allt o'r pentref byddwch yn dod at y drofa a fyddai, petaech chi'n ei dilyn ac yn gwyro oddi ar eich llwybr, yn mynd â chi oddi ar y briffordd ac i gyfeiriad Llanbedr-goch. O'r fan honno ymlaen, wedi i chi wrthsefyll y temtasiwn hwnnw, bydd y môr, nad oes modd dianc ymhell oddi wrtho mewn unrhyw fan ar yr ynys, yn dechrau chwarae mig hefo chi. Cyn bo hir, draw yn y pellter ar yr ochr dde i'r ffordd, bydd Bwrdd Arthur yn dod i'r golwg a rhyngoch chi a hwnnw, os bydd y llanw ar drai byddwch yn cael eich cip cyntaf ar lesni'r môr a hwyrach ar eangderau tywod y Traeth Coch.

Ond nid nes y dewch chi i gyffiniau'r Benllech y bydd y môr yn dechrau bwrw ei swildod mewn gwirionedd, er mai gan bwyll bach y gwna hynny. Wedi i chi adael erchyllterau'r carafanau sydd yn hollbresennol yn rhan yma'r ynys a mynd yn eich blaen heibio i'r Marian-glas ac i fyny'r mymryn clip i gyffiniau Llanallgo daw'r arfordir go iawn i'r golwg am y tro cyntaf. Fel arfer bydd llong neu ddwy i'w gweld o'r fan honno gan mai yma y mae Bae Moelfre, lle mae llongau'r oesau wedi dod i 'mochel rhag stormydd gwynt y Gorllewin. O'r fan honno, wedi i chi fynd heibio i Eglwys Sant Gallgo lle claddwyd y rhan fwyaf o drueiniaid trychineb y *Royal Charter,* y llong nad oedd hyd yn oed Moelfre yn gallu cynnig seintwar iddi, byddwch yn mynd i lawr Allt Bwlch y Dafarn ac yna ymlaen trwy bentref bach Brynrefail. Yno bydd creigiau hynafol Mynydd Bodafon ar yr ochr chwith i chi ac yna cyn i chi ddechrau mynd ar y goriwaered eto, heibio i'r *Pilot Boat Inn,* bydd cofeb Morusiaid Môn, sy'n sefyll ar ben y bryn uwchlaw Traeth Dulas a fferm Pentre Eiriannell yn dod i'r golwg. Ail-ddechrau dringo wedyn, i fyny o'r Dulas ac yna i fyny allt y Gwlybcoed a theithio ar hyd y ffordd sy'n osgoi pentref Pen-y-sarn nes dewch chi at ben y bryn lle mae fferm y Croesau ar y chwith i chi a'r tir lle gynt y safai hen gapel Caersalem ar y dde. Yno, rydych chi ar ben y gefnen sy'n cyplysu siaced fraith tiroedd Mynydd Parys ar yr ochr orllewinol i chi a gwyrddni brith Mynydd Eilian ar yr ochr ddwyreiniol, ac o'r fan honno, am y tro cyntaf, mae'r môr i'w weld yn llenwi'r gorwel o'ch blaen, gyda melinau gwynt Trysglwyn Fawr a Buarth y Foel yn mynnu eich sylw a hylltod gorsaf niwclear yr Wylfa yn fygythiol blaen yn y pellter. Ond hyd yn oed wedyn, nid nes yr ewch chi ymlaen ac ar i lawr am ryw hanner milltir arall, trwy'r Cerrig Mân a chyrraedd pen allt y Llaethdy Mawr, y daw'r dref ei hun i'r golwg yn iawn. Yn y fan honno mae hi yno o'ch blaen, yn ymestyn o Dre-Dath ar yr ochr chwith i chi i'r Borth ar y dde, yn swatio mewn pant gyda'r gefnen y byddem ni'n cyfeirio ati fel Pen-y-bonc a Phen-y-bryn yn cuddio'r rhan fwyaf ohoni o olwg y môr.

Er nad yw'r gymhariaeth yn un y gellir pwyso'n rhy drwm arni, yn union fel crud gwareiddiad ei hun, yr oedd Afonydd y Tigris a'r Iwffrates yn llifo trwyddo, mae gan dref fy mebyd innau ei dwy afon, sef yr Afon Goch a'r Afon Wen, neu Afon Porth Llechog a rhoi ei hen enw iddi. Yn nhiroedd corslyd y Werthyr, yn y Burwen, y mae tarddle'r Afon Wen, afon yr oedd ei dyfroedd ers talwm, wrth iddyn nhw lifo dan Bont Joseff yn loyw lân, a'r mân bysgod y byddwn i ac Alun ac Iorwerth Tŷ Doctor wrth ein bodd yn eu dal yn ferw byw dan gerrig ei gwely. O grombil rhyw archoll ddofn ym Mynydd Parys y daw'r afon arall, sef yr Afon Goch, afon y mae ei dŵr yn gybolfa gemegol mor enbyd fel na all yr un creadur na phlanhigyn oroesi ynddo. Daw'r ddwy afon ynghyd yng nghanol y dref, ond o'r cymer hwnnw ymlaen, mae'r cochni gwenwynig yn trechu ac erbyn i'w dyfroedd cymysgoch gyrraedd eu haber ger y Borth mae eu chwydfa hyll yn creu staen parhaol sy'n baeddu dŵr y môr am gryn chwarter milltir o gwmpas ei haber ym Mhorth Offeiriaid.

Fel yn achos yr Afon Goch, o grombil Mynydd Parys, hefyd, y daeth y cyfoeth a drodd y pentref pysgota bychan anghysbell a fu yma unwaith yn dref sy'n gallu ymffrostio yn y ffaith mai o'i chwmpas hi y ceir y darn helaethaf o dir diwydiannol diffaith yng Nghymru gyfan. Y Pibydd Brith o fynydd hwn, yn anad dim, a fu'n gyfrwng i ddenu cenedlaethau o bobl o bob cwr o Fôn a thu hwnt iddi i symud i'r ardal yn y gobaith y byddai'r drefn ddiwydiannol, gyfalafol, a oedd ar gerdded trwy Ewrop y cyfnod, yn eu rhyddhau o amddifadedd y bywyd gwledig ac o lyffetheiriau anwadalwch y tymhorau. O'n safbwynt ni'r plant roedd y mynydd yn lle cwbl waharddedig a fyddai dim un ohonon ni'n meiddio mynd ar ei gyfyl. Caem ein siarsio byth a hefyd i synio amdano fel man oedd yn llawn o beryglon o bob math a'n hatgoffa am y siafftydd cuddiedig, yr oedd y grug wedi tyfu dros eu pennau, a fyddai'n mynd â ni, dim ond i ni gymryd un cam gwag, i lawr i'w ddyfnderoedd diwaelod ac i dragwyddoldeb.

Felly, er mai o bell, megis, yr oeddwn i'n eu gweld, roedd y gymysgedd arallfydol o liwiau oedd yn britho llechweddau'r mynydd yn tystio i'r amrywiaeth o weithgareddau diwydiannol a chemegol y llwyddodd dyn i'w sefydlu ar sail y gynhysgaeth ryfeddol a dynnwyd o'i berfeddion. Ar y llethrau hynny, y câi'r darnau o fwynau amrwd eu malu'n fân gan y Copr Ladis cyn iddyn nhw gael eu crasu yn yr odynau a fyddai'n cael gwared â'r gormodedd o sylffwr oedd ynddyn nhw. Gwnaed hynny gan y byddai'r sylffwr, ymhellach ymlaen yn y broses, wedi llesteirio'r gwaith o'u mwyndoddi. Ond mewn amser, pan sylweddolwyd bod y swlffwr hwnnw â photensial i greu rhagor o gyfoeth, datblygwyd proses arall, mewn odynau arbenigol, i'w gasglu a'i werthu. Yr enw a roddwyd i'r sylwedd hwnnw gan y Cymry oedd Fflŵr Brwmstan. Achosodd rhyfeloedd Ewropeaidd diwedd y 18fed a dechrau'r 19eg ganrif i'r galw amdano gynyddu oherwydd ei fod yn elfen allweddol mewn powdwr gwn a bu hynny yn hwb newydd a sylweddol i'r Mynydd a'i weithwyr. Gwaddodion o'r ffwrneisi hynny ynghyd â'r llystyfiant arbenigol ac unigryw sydd wedi addasu ei hun i dyfu arno sy'n rhoi i lethrau'r mynydd y lliwiau anhygoel sy'n eu nodweddu.

Wrth odreon ac ar y gwastadeddau sy'n amgylchynu'r mynydd mae rhagor o dystiolaeth am yr hyn a fu. Mae pyllau dyddodi yn y Llaethdy Bach, yn Nyffryn Adda ac ar diroedd y Trysglwyn, ac olion mwyndoddi, cynhyrchu paent a gweithfeydd cemegol mewn sawl lle o gwmpas y dref. O Borth Amlwch y câi'r mwynau, y swlffwr a'r mwynau copr eu hallforio ac yno hefyd yr adeiladwyd yr iardiau llongau, y llofft hwyliau, y gwaith rhaffau a'r gefeiliau oedd yn sail i'r diwydiant adeiladu llongau a fu'n ffon fara i genedlaethau o seiri coed a gofaint y fro. Bu fy mam, pan oedd hi'n blentyn ysgol yn dyst i longau a adeiladwyd ym Mhorth Amlwch yn cael eu lansio [neu eu 'bedyddio' fel byddai fy Nhaid Llan yn dweud]. Cefais innau yn fy nhro gyfle i ddod i ryw fath o gysylltiad anuniongyrchol gyda'r hen ddiwydiant hwnnw trwy gael y fraint o ddanfon cig i'r tai moethus a fu unwaith yn gartref i rai o'i berchnogion mwyaf cefnog. Rhwng popeth, mae hi'n dref sy'n meddu ar hanes rhyfeddol, hanes nad oes ei hafal, hwyrach, yng Nghymru gyfan. Rydw i'n grediniol y gellid, gyda gweledigaeth a buddsoddiad helaeth, ei throi yn ganolfan hanesyddol ac addysgol o bwys rhyngwladol.

Mae hi hefyd yn dref sydd â sawl math o ddeuoliaeth yn perthyn iddi, a'r gwrthgyferbyniad rhwng ei dwy afon yn cael ei adlewyrchu mewn sawl agwedd ar ei chymeriad. Ar un ystyr tref y môr yw hi, ac mae honno'n elfen allweddol yn ei hanes a'i datblygiad. Dros y canrifoedd bu ei gynaeafau yn cynnal ei thrigolion ac yn ddolen gydiol gyda'r byd mawr mewn cyfnodau pan oedd teithio dros y tir yn boenus o anodd ac araf. Daeth pobl, dylanwadau a datblygiadau na fydden nhw wedi medru ei chyrraedd mewn un modd arall iddi o Iwerddon a Lerpwl a sawl man arall pellach o lawer na'r rheini, a gadawodd pob un ohonyn nhw eu hôl ar ryw agwedd ar ei bywyd. Y môr, hefyd, a ganiataodd i genedlaethau o'i dynion, â'u breuddwydion yn llawn lliain, ei gadael i chwilio am ryw fan gwyn man draw ac i ddianc rhag crafangau tlodi a chaledi eu hamgylchiadau. Daeth rhai yn ôl gan ddwyn golud materol a chyfoeth gyda nhw gan godi rhai o dai mwyaf trawiadol y fro i ddatgan hyd a lled eu llwyddiannau. Atgofion, chwerw neu felys, oedd yr unig olud oedd gan eraill. Aeth nifer, sydd erbyn hyn yn anhysbys, ar gyfeiliorn, a chollwyd llu o rai eraill ym mhedwar ban byd wrth i'r môr, a addawodd gynnig ffordd ymwared, droi tu min a mynd â'u bywydau oddi arnyn nhw. Yn wir, mae hi'n dref lle nad oes ynddi noddfa o bresenoldeb y môr gan fod ei dwrf neu ei arogl neu grïo dolefus a chyson ei wylanod yn treiddio i bob rhan ohoni.

Ond mae hi hefyd yn dref yr oedd presenoldeb ei pherfeddwlad amaethyddol i'w deimlo ym mhob agwedd ar ei bywyd. Er bod rhod y ddwy wedi peidio â throi ymhell cyn hynny, roedd yr olion gweladwy fel Melin Mona a Melin Adda ym Mhentrefelin yn parhau yn eu lle a phrysurdeb efail y gof yn Nhre-Dath yn tystio i'r ffaith nad oedd amaethyddiaeth y cyfnod wedi troi ei chefn yn llwyr ar ei dibyniaeth ar y ceffyl. Heb fod ymhell o'r Corwas, fy nghartref, roedd siop EB Jones yn cyflenwi llawer o anghenion ffermydd y fro, ac wrth ymyl siop esgidiau Briggs roedd crydd wrth ei waith yn feunyddiol. Am flynyddoedd lawer, Amlwch oedd ffocws darn helaeth o ogledd-ddwyrain yr ynys, ac yn ystod blynyddoedd fy mhlentyndod roedd pobl o ardal bur eang yn heidio iddi i werthu eu cynhyrchion ac i chwilio am angenrheidiau bywyd a mwyniant o bob math. I raddau helaeth roedd ei heconomi wedi'i deilwrio i ddiwallu eu hanghenion, ac yn y cysylltiadau rhyngddi a phentrefi fel Rhos-goch, Carreglefn, Llanfechell a Phen-y-sarn yr oedd gwreiddiau dyfnaf ei Chymreictod. O'r cefn gwlad hwnnw y deuai'r bobl yr oedd eu parabl yn tystio i rym mamiaith a oedd wedi cael ei saernïo i gwrdd yn gwbl ddigonol â holl weddau eu bywydau, iaith nad oedd llawer o elfennau mwy Seisnig y bywyd trefol wedi merwino fawr ddim arni. Oddi yno, hefyd, y deuai'r nodweddion mwy araf a hamddenol ar ei chymeriad, nodweddion a oedd wedi llwyddo'n rhyfeddol i oroesi ar waethaf dylanwad y meddylfryd diwydiannol anniddig a feddiannodd yr ardal yn nyddiau byrlymus y diwydiant copr. Mae enwau cyfareddol rhai o'r ffermydd a'r mannau sy'n ei hamgylchynu, enwau fel Merddyn Cowper, Pont Rhyd Talog, Ponc Taldrwst, Pont Llabwst, Cae Crwn, Cae Cynffon Llaes, Ty'n yr Odyn, Cae Gylfinhir, Tyddyn Sara a Corn Ellyll yn dystiolaeth ddiddorol i agweddau amrywiol ei gorffennol cymdeithasol a diwylliannol.

Câi Cymreictod y dref ei adlewyrchu yng Nghymreictod naturiol ei siopau, ac er mai arwyddion ac enwau Saesneg oedd i'r busnesau a'r siopau bron i gyd, ac er mai *'two and six'* neu *'three and four'* neu ymadroddion o'r fath oedd y rhai a ddefnyddid yn gyffredin ynddyn nhw wrth drin arian, roedd eu perchnogion, bron yn ddieithriad, yn Gymry Cymraeg. Yn Stryd Mona, yn ymyl y sgwâr, roedd siop Llew Jones y fferyllydd hawddgar a chymwynasgar. Heb fod ymhell oddi wrthi roedd siop felysion, teganau a baco teulu Slade yn y *Caxton House*, siopau dillad *Manchester House* a'r *Golden Eagle* [yr 'Afr Aur' ar lafar gwlad], siop esgidiau Briggs, banc, siop Griff 'Beics', siop gig y Rhianfa a nifer o rai eraill. Ond yr un y byddwn i'n hoffi mynd iddi oedd siop nwyddau haearn y cerddor a'r cyfansoddwr, W Matthews Williams, cyfansoddwr y dôn drawiadol, 'Yr Utgorn', y cenir y geiriau *'Cyn llunio'r byd, Cyn lledu'r nefoedd wen . . .'* arni. Wrth fynd yno i nôl paraffin i Mam, doeddwn i fawr o feddwl bod y dyn tu ôl i'r cownter yn ffrindiau gyda rhai o gerddorion mwyaf yr oes ac y byddai'r enwog Walford Davies, a olynodd Edward Elgar fel Meistr Cerddoriaeth teulu brenhinol Lloegr, yn dod i Amlwch yn aml i aros gyda'i gyfaill o dunman! Ceid amrywiaeth tebyg ar Queen Street lle roedd siop baent, banc y Midland, siopau dillad, siop ffrwythau, siop bysgod, fferyllfa, siop esgidiau, banciau a siopau bwyd, ynghyd â chaffi'r *Avondale* â'r Swyddfa Bost. A gyferbyn â'r Post roedd siop oedd yn groes i'r patrwm ieithyddol a diwylliannol, sef siop unigryw oedd yn perthyn i deulu o Iddewon o'r enw Stein. Fel 'Siop y Jiw' y byddai fy nhaid a fy nhad yn cyfeirio ati, siop yr oedd y tu mewn iddi yn dywyll a digalon ac yn llawn dirgelion, ond siop oedd â charthenni a blancedi a dilladau o bob math wedi'u pentyrru i bob twll a chornel ohoni, a siop lle gallai'r perchennog roi ei law, mewn eiliad, ar unrhyw eitem y byddai rhywun yn gofyn amdani a bod yn barod, wedyn, i fargeinio dros y pris. Yr oedd fy nhaid, oedd wedi treulio ei oes yn miniogi ei fedrau bargeinio wrth ymdrin â ffermwyr crintachlyd Môn, yn dipyn o feistr ar y grefft honno ac yn fodlon chwilio yn nyfnderoedd ffynnon ddigon hysb ei Saesneg i gael yr hyn a geisiai am bris rhesymol yn siop y 'Jiw'.

Os iawn y cofiaf, yr unig siop arall yn y dref nad oedd hi'n eiddo i Gymry oedd y siop sglodion. Roedd honno wedi ei lleoli'n agos iawn at gefn fy nghartref, gyferbyn â Siop y Felin, a'r teulu oedd yn berchen arni, teulu Figoni, yn hanu o'r Eidal. Rhyfeddwn, fel plentyn, at berseinedd melodaidd eu hiaith a byddwn wrth fy modd yn eu clywed yn siarad â'i gilydd. Wrth gerdded i'r ysgol byddwn yn cael cerdded heibio i'w siop, a bob bore, yn ddi-ffael, yno y byddai Jo Figoni a'i wraig yn eistedd ar ddwy stôl yn y sied tu cefn i'r siop yn plicio tatws, y pentyrrau crwyn yn eu hymyl a'r tybiau tatws yn llenwi o'u blaenau. Ymfalchïai Jo

Figoni yng nglanweithdra a thaclusrwydd ei siop a buddsoddai lawer o'i amser yn gosod popeth mewn pentyrrau destlus ar y silffoedd tu ôl i'r cownter hufen rhew. Ac weithiau, pan fyddai'r diafol yn cerdded y fro ac yn cael dinas noddfa ym mhennau rhai ohonon ni'r plant, doedd dim byd cystal â mynd i'r siop i brynu cnegwarth o sglodion a thra byddai sylw Jo ar gwsmer arall roedden ni'n anelu hanner tsipen at y tyrrau *Woodbine* a *Craven A* ar y silff wrth ben yr oergell a'u gweld yn dymchwel i'r llawr neu i ganol yr hufen rhew. Yna byddem yn ei goleuo hi oddi yno nerth ein traed a chlywed rhegfeydd Eidalaidd Jo yn ein herlid i dywyllwch Stryd Wesla neu Lôn Gias. Ond roedd yr hen Jo yn ormod o ŵr busnes i ddal dig am fwy na noson neu ddwy.

Bonws arall a gawn i wrth gerdded i'r ysgol oedd cael mynd heibio i fecws teulu Phipps, tu cefn i eiddo Jo Figoni. Weithiau byddwn yn ei mentro hi at y drws ac yn cael sefyll yno i rythu ar y peiriannau a'r byrddau yr oedd llwch blawd yn eira drostyn nhw ac i gael llenwi fy ffroenau gyda gwaddod y crasu ben bore a oedd wedi digwydd ymhell cyn i mi na fawr neb call arall ddechrau stwyrian yn ein gwelyau.

Un arall o'r deuoliaethau a berthynai i'r dref oedd y gwahaniaeth amlwg rhwng ei dosbarth canol parchus a phur geidwadol a'r elfennau prinnach, mwy gwerinol eu natur oedd yn etifeddion y bywyd gwledig mwy amrwd a fodolai cyn i Anghydffurfiaeth dyfu'n rym yn y tir. Yn y capeli y câi gwerthoedd a pharchusrwydd y dref eu diogelu a'u coleddu, a phrif gynheiliaid y rheini oedd y masnachwyr. Ymhlith blaenoriaid y Capel Mawr roedd Mr Thomas, *Gwalia Stores*, Mr Llew Jones y Fferyllydd, Mr Gussey yr *Avondale* ynghyd ag un neu ddau o bobl broffesiynol a rhai ffermwyr. Yn y tafarnau ac ymhlith rhai o'r lleiafrif nad oedden nhw byth yn tywyllu'r un capel y ffynnai'r traddodiad arall. Ganddyn nhw yr oedd yr afael gadarnaf ar regfeydd ac ar yr hiwmor priddlyd a digon di-chwaeth oedd ar gael i unrhyw glustiau oedd yn dymuno eu clywed. Yn y *Bull, yr Eleth,* y *Railway Inn* a'r tafarnau eraill, hefyd, y câi agweddau ar ddiwylliannau ar wahân i'r rhai oedd yn perthyn i Fôn eu troedle cyntaf. Hyd yn oed yn y cyfnod hwnnw, roedd caneuon o Loegr, yr Unol Daleithiau ac Iwerddon wedi dechrau disodli'r emynau a'r caneuon Cymraeg.

Yn y dref unigryw hon, pan oedd amser yn cael ei fesur gan sŵn curiad traed John Roberts y clochydd wrth iddo gerdded o'r Borth i'r Llan ar fore Sul i ganu cloch eglwys Sant Eleth ac i weindio'r cloc, a ninnau'r plant yn medru chwarae chwip a thop yn hamddenol braf ar y sgwâr heb i'r un cerbyd fennu arnom, y cefais i fy ngeni. Mis Mawrth 1935 oedd hi, ac mae'r dystysgrif yn dweud 'mod i'n fab i Owen Roberts, a ddisgrifir fel *Master Butcher,* a Catherine Jones, *Spinster.* Ymhell cyn bod y sôn am gynhesu byd-eang wedi dod yn gyffredin, roedd y gaeaf hwnnw wedi bod yn groes i'r patrwm arferol, a'r tywydd wedi bod yn eithriadol o fwyn, gyda'r tymheredd ar gyfartaledd yn 6.6°C [43.8°F], ar hyd y tymor. Ond doedd dim llawer o gynhesrwydd yn perthyn i hinsawdd wleidyddol Ewrop y cyfnod. Yn yr Almaen roedd y Natsïaid wedi cipio grym a si ym mrig y morwydd bod rhyfel yn agosáu. Mae rhywun wedi lled awgrymu mai drannoeth fy ngeni y cyhoeddodd Adolf Hitler bod ei wlad am ail-arfogi, gan dorri rheolau Confensiwn Genefa trwy wneud hynny, ond rydw i wedi llwyddo i argyhoeddi fy hun mai awgrym annheilwng oedd hwnnw.

Y CORWAS

Hen honglad o le oedd y Corwas, ein tŷ ni. *Temperance Hotel* oedd ei enw a chyn i fy nhaid ei brynu, roedd yn ddinas noddfa i lwyrymwrthodwyr mewn tref oedd yn goferu gyda thafarnau. Daeth fy nhaid, sef y taid a adwaenwn i fel Daid Llan, ag enw'r tyddyn lle cafodd ei fagu, sef Corwas, i'w ganlyn pan gafodd ei orfodi gan ddirwasgiad ugeiniau'r ugeinfed ganrif i droi ei gefn ar y bywyd amaethyddol a mentro i'r dref i gychwyn busnes gwerthu cig. Prin y gwyddai Daid Llan hynny, ond roedd yr enw a ddewisodd i'w gartref newydd yn un pur anaddas. Gwir ystyr yr enw, gyda'r 'cor' yn golygu 'bychan' a'r 'gwas' yn golygu 'trigfan' neu 'annedd', oedd 'tŷ bychan'. Go brin y gallai neb ddweud hynny am ein tŷ ni.

Un ai trwy lwc neu trwy ddewis doeth ar ran Daid Llan, roedd safle'r Corwas yn un da gan ei fod ar gornel uchaf y sgwâr, ar Stryd y Farchnad, lle mae honno'n cwrdd â Queen Street, Stryd Mona, a Ffordd Porth Llechog. Bryd hynny, yng nghanol y sgwâr, gyda'r ffyrdd yn gwau o'i chwmpas, safai tafarn yr Eleth a'r siop oedd ochr-yn-ochr â hi. Wrth ochr yr Eleth, a rhyngddi a'n siop ni, roedd darn o dir gwag, llecyn oedd â chreigiau isel yn brigo i'w wyneb. Yno, ddyddiau fu, y byddai ffermwyr yr ardal yn arfer dod â'u cynnyrch i'w gwerthu. Ar ochr chwith y sgwâr, o edrych arni o ffenestr y siop, roedd wal mynwent Eglwys y Sant

Eleth. A'r ochr arall i'r stryd, gyferbyn â'r eglwys, roedd gwesty'r Dinorben.

Er bod y Corwas yn dŷ o faintioli sylweddol o ran ei hyd a'i led, tŷ rhes oedd o. Ar un ochr iddo safai gwaith Baco Amlwch ac ar yr ochr arall siop a llaethdy. Siop gig fy nhad oedd piau mwy na hanner blaen y Corwas a'r parlwr ffrynt oedd yn llenwi'r hanner arall. Roedd y parlwr ffrynt yn ystafell nad oedd fawr ddim defnydd arni. Yno roedd dodrefn gorau'r tŷ yn sefyll yn segur yn eu hunfan a neb yn ei thywyllu am flwyddyn gron gyfan, bron. Dim ond ar ddiwrnod Nadolig a rhyw achlysuron prin a phur arbennig eraill y byddai tân yn cael ei gynnau yn y grât. Ynddi y cedwid y piano y ceisiais i, yn ofer, ddysgu ei chwarae. Ar ôl cerdded am wersi at Miss Olwen Hughes, organydd y Capel Mawr am flwyddyn a mwy, a gwneud unrhyw esgus oedd ar gael i osgoi ymarfer, doeddwn i fawr nes i'r lan nag oeddwn i ar y cychwyn a phenderfynwyd nad oedd dyfodol i mi fel pianydd. Wnaeth y ffaith fod y bechgyn eraill yn eistedd ar y wal tu allan i ffenest tŷ Miss Hughes tra oeddwn i'n cael gwers fawr ddim i gyfrannu at fy llwyddiant, ond esgus digon salw ydi hwnnw. Gyda'r blynyddoedd fe ddois i ddeall nad oedd hen ddawn gerddorol Daid Llan i fod yn rhan o fy nghynhysgaeth i ond ei bod hi wedi ei chadw i amgenach diben a'i throsglwyddo yn ei chrynswth, ac yn annheg, braidd, i fy chwaer!

Rhedai lobi hir a rannai'r tŷ yn ddau, megis, o'r drws ffrynt, rhwng y siop a'r parlwr, yr holl ffordd i'r gegin ac i'r iard yn y cefn. Yn ymarferol, golygai gofynion y busnes bod y siop a'r gweithgarwch oedd ynglŷn â hi yn meddiannu llawer iawn mwy na'i chyfran o'r tŷ. Roedd yr ystafell a alwem ni yn gegin, yn y cefn, yn gorfod bod yn rhyw fath o weithdy i'r siop yn ogystal â man lle byddai fy mam yn ceisio golchi a gwneud bwyd. Yno y câi'r selsig eu paratoi, yr esgyrn eu crafu a'r *dripping* hwnnw, y byddai ei ddrewdod yn llenwi'r tŷ am ddyddiau, yn cael ei doddi cyn iddo gael ei dywallt i fagiau papur i oeri. Mewn cafn mawr, y seston, oedd yn llenwi'r cyfan o un ochr i'r gegin, y byddai fy nhad yn halltu cigoedd ac yn eu cadw am wythnosau lawer er mwyn i'r halen dreiddio i mewn iddyn nhw. Yn ein tŷ ni, doedd dim dianc oddi wrth gig.

O'i gymharu â'r hyn a gymerir yn ganiataol gan lawer ohonon ni erbyn heddiw, tŷ di-foethau iawn oedd y Corwas. Doedd dim dŵr tap ynddo am flynyddoedd, a golygai hynny bod rhaid cario dŵr mewn bwcedi o'r pwmp cyhoeddus yn Lôn Porth Llechog. Pan gawson ni ddŵr i'r tŷ ymhen rhai blynyddoedd, ddaeth hwnnw ddim pellach na'r sinc yng nghornel y gegin gefn. Hyd yn oed wedyn doedd dim tap dŵr cynnes ar gyfyl y lle. Am flynyddoedd lawer byddai fy mam yn gorfod berwi sosbenni ar dân agored a pharatoi bwyd ar stof nwy fechan a digon anghyfleus. Ond roedd ffynhonnell y nwy hwnnw yn un o nodweddion mwyaf unigryw'r tŷ.

Yn y llofft gefn y cysgai fy mrawd, John, a minnau. O flaen y ffenest honno, yn ymestyn o'r ddaear islaw at lefel y bondo uwchlaw'r ffenest, roedd ffrâm fetel fawr, a phwli ynghlwm wrth ei phen uchaf. Crogai nifer o bwysynnau trymion wrth hwnnw, pwysynnau yr oedd gofyn troi handlen weindio wrth waelod y ffrâm yn ddyddiol er mwyn eu codi yn ôl i ben uchaf y ffrâm. Wrth i'r pwysynnau symud ar i lawr yn araf yn ystod y dydd, roedden nhw'n trosglwyddo eu pwysau, trwy geblau, i danc oedd yn cynnwys petrol, a'r pwysedd hwnnw yn ei dro yn troi'r petrol yn nwy. Fersiwn ar raddfa fawr o'r lamp Tilley, y lamp y mae'n rhaid ei phwmpio er mwyn creu digon o bwysedd i droi paraffin yn anwedd, oedd hwn, a chyflenwai ddigon o nwy i sicrhau bod gennym olau nwy ym mhob stafell yn y tŷ yn ogystal â stof fechan yn y gegin.

Roedd troi'r handlen, a wnâi i'r pwysynnau godi, yn un o fy nyletswyddau dyddiol. Heddiw, wrth edrych yn ôl, mae'n anodd peidio meddwl nad oedd y system yn un beryglus tu hwnt.

Yng nghefn y Corwas, ac am y clawdd â gardd Dafydd Evans y Tacsi y safai'r tŷ bach. Yr hyn oedd yn hynod yn ei gylch oedd bod ynddo le i dri gyd-eistedd Yn nyddiau prysurdeb y *Temperance Hotel* mae'n bur debyg bod achlysuron pan welodd ei furiau achosion o gyd-ymwneud, ond dim ond un ar y tro oedd hi yn fy amser i. Ac er bod awelon peraroglau'r pren rhosod pinc oedd yn tyfu yn ei ymyl yn fendithiol yn yr haf, doedd ein tŷ bach ni ddim yn lle i aros ynddo'n hir ar unrhyw ben o'r flwyddyn. Doedd fawr o drefn ar ei ddrws a gan mai'r cyfan oedd o dan ei styllen drithwll oedd rhyw fath o fwced y byddai dynion y Cyngor yn dod i'w chasglu, liw nos, unwaith bob wythnos, doedd bod yno yn cadw cwmni i'r pryfed ddim yn brofiad i'w chwennych. Serch hynny, ac ar waethaf ei gyntefigrwydd a'r ffaith nad oedd ynddo bapur amgenach na darnau o'r *'Daily Express'* neu'r *'News of the World'* mynnai fy mam gyfeirio ato, bob amser, fel y 'lavatory' neu'r 'WC'. Am wn i nad oedd hynny'n rhoi iddo statws dipyn amgenach na phe bai hi wedi ei alw'n rhywbeth gwerinol fel 'geudy' neu 'tŷ bach'.

Cartref prysur oedd ein cartref ni, a'r mynd a dod diddiwedd yn rhan o'i wead, bron â bod. Byddai rhywun yn galw, ar ryw berwyl neu'i gilydd o hyd ac o hyd, rhai i weld fy nhad, rhai i ymweld â Daid Llan neu rai i ymweld â ni fel teulu. Fel plant, roedden ni wrth ein bodd pan fyddai sŵn curo, drws y ffrynt yn cael ei agor yn bwyllog a llais yn galw 'Oes 'ma bobol?' a ninnau wedyn yn cael cystadleuaeth i geisio dyfalu pwy oedd yno.

Cartref yr oedd yr ethos Anghydffurfiol yn pwyso'n bur drwm arno oedd y Corwas. Dylanwadai'r capel, sef y

Capel Mawr, ar fywyd pob aelod o'r teulu, ac roedd y gwasanaethau a'r amryfal gyfarfodydd a gynhelid ynddo yn mynd â thalp pur sylweddol o wythnos pawb ohonon ni. Er y byddai'n anodd dadlau bod y Fethodistiaeth Galfinaidd a gâi ei hymarfer ym moethusrwydd y Capel Mawr yn ymgorfforiad o Anghydffurfiaeth yn ei gweddau mwyaf asetig, moel a radicalaidd, yr oedd, serch hynny, rhyw islais o'r difrifoldeb hwnnw sy'n nodweddu Anghydffurfiaeth yn y gymdeithas ac yn y modd yr oedd y bobl a adwaenwn yn synio am fywyd ac yn y modd yr oedden nhw yn parchu ei gilydd. Ac er bod digon o ysgafnder a llawenydd ym mywydau ein teulu ni, o dan y cyfan roedd moelni a phlaendra'r traddodiad Protestannaidd yn cael ei adlewyrchu yn ein bywyd beunyddiol, a doedd fawr o le i ddefodau na dathliadau fel dathlu pen-blwyddi na gwyliau na defodau o unrhyw fath. Mae'n bosibl bod y cyni a'r prinder a ddaeth yn sgil y rhyfel yn ffactor yn hynny, ond prin iawn iawn yw'r atgofion sydd gen i am fod mewn parti neu o fod yn bresennol mewn unrhyw fath o achlysur yr oedd rhialtwch yn rhan ohono yn y Corwas. Byddai fy mhen-blwydd, fel rhai fy mrodyr a'm chwaer yn cael mynd heibio heb i neb sylwi, bron. Ar y Sul, roedden ni'r plant wedi'n caethiwo, a doedd wiw meddwl am gael mynd allan i chwarae na gwneud miri o unrhyw fath. Roedd y dref ei hun yn dawel a digyffro a dim ond y mynd a'r dod i'r oedfaon a'r sleifio boreol i'r siop, a fodolai ar foreau Sul yn unswydd i werthu papurau newydd, oedd yn tarfu ar ei heddwch.

Yn y Corwas roedd fy rhieni, fy nau frawd a'm chwaer, fy Modryb Lis, sef chwaer fy nhad, a fy nhaid ar ochr fy nhad, sef Daid Llan, yn byw. Er ein bod yn rhannu'r unto, i bob pwrpas roedd Daid Llan a Modryb Lis yn byw bywyd ar wahân i'n teulu ni, ac roedd eu hystafell nhw am y pared â chefn y siop. Ein henw ni ar yr ystafell honno oedd

'Parlwr Lis'. Roedd dresel fawr Gymreig, o dderw golau bendigedig, ym mharlwr Lis. Gyferbyn â hi, ac yn wynebu'r tân, yn ei gadair cefn uchel yr eisteddai Daid Llan, ei het am ei ben a'i getyn yn ei geg, a chymylau o fwg baco siag Amlwch yn llenwi'r lle. Yn y gornel, ar fwrdd crwn bychan dan ffenestr y cefn, roedd y *Cossor*, sef y bocs yr ystyriwn i'n un rhyfeddol gan fod lleisiau a cherddoriaeth yn dod ohono er nad oedd unrhyw fod dynol ar ei gyfyl. Ar y deial bychan yn ei chanol roedd enwau hudolus fel *Hilversum* a *Daventry*, enwau na allwn i wneud fawr mwy na dyfalu ynghylch eu hystyr. Un o fy nhasgau wythnosol i oedd helpu i fynd â'r batri oedd yn rhoi pŵer i'r *Cossor* i siop y trydanwr ger Swyddfa'r Post, gan ddod ag un oedd wedi ei wefru yn ôl yn ei le. Yn y cyfnod hwnnw, prin iawn oedd y Gymraeg ar y radio, a'r unig beth a gofiaf yw'r rhaglen newyddion ddyddiol y gwrandawai Daid Llan yn astud arni. Unwaith y byddai honno wedi dirwyn i ben, byddai môr o Saesneg yn llifo o'r *Cossor* a Daid Llan yn codi o'i gadair gan dwt-twtio er mwyn rhoi taw ar iaith nad oedd yn deall fawr ddim arni.

Roedd Daid Llan, Owen Roberts, yn un o'r naw o blant a anwyd i Gruffydd Roberts ac Elizabeth Roberts ar dyddyn y Corwas ym mhlwyf Llaneilian. Daid Llan oedd yr ieuengaf ond un yn y teulu lluosog hwnnw. Fe'i ganwyd yn 1869 a chafodd fyw i fod yn bedwar ugain ac wyth. Collodd ei wraig gyntaf, Margaret, athrawes a hanai o Benrhyndeudraeth, yn fuan iawn ar ôl iddyn nhw briodi. Winifred, ei ail wraig, oedd mam fy nhad a fy Modryb Lis. Bu hithau farw yn ifanc iawn, a phrin oedd cof fy nhad a Modryb Lis amdani.

Treuliai Daid Llan ran helaeth o'i amser yn darllen y Beibl ac esboniadau, a chlywais o'n dweud, sawl tro, ei fod wedi mynd trwy'r Beibl, o'i gwr, fwy nag unwaith. Serch hynny, tŷ digon di-lyfrau oedd y Corwas, a'r unig rai y mae gen i gof amdanyn nhw oedd ein copi o *Lyfr Mawr y Plant* a'r rhai a gedwid yn nresel parlwr Lis. Llyfrau crefyddol a diwinyddol oedd trwch y rheini, ond yn eu plith roedd un neu ddwy o gyfrolau yr oedd gen i ddiddordeb mawr yn eu cynnwys. Er bod rhyw frech o lwydni eisoes wedi gafael yn eu cloriau glas hyd yn oed y pryd hynny, byddwn yn cyffroi'n lân pan fyddai hwyliau da ar Daid Llan ac yntau'n tyrchu yn llanast y cwpwrdd i chwilio am *Cerddi Cymru 1 a 2* ac yna'n fy ngwahodd i eistedd ar ei lin. Âi i gryn hwyl wrth ddarllen ac roeddwn innau'n cael modd i fyw wrth fwynhau rhythmau cryfion a'r elfen storïol gref oedd yn rhai o'r cerddi. Byddai Daid Llan a minnau'n glanha chwerthin dros y tŷ pan fyddai'n darllen *'Dowch i'r America'* a'r pytiau o Saesneg oedd yn y gerdd yn apelio'n arw at y ddau ohonon ni.

Mae pob gwybedyn yma
Yn gallu canu *bass*
Yn uwch na theirw Cymru,
Beth andros ulw las;
Mae'r penwaig cochion yma
Yn ddwywaith mwy na *whales*
Look here, Dafydd Davis,
Don't think I'm telling tales.

Dowch i'r America,
Dowch i'r America,
Wel bobol yr holl ddaear,
Dowch i'r America.

Mae coedwig fwyaf Cymru
Fel gwely sibols bron,
Yn ymyl coedwig leiaf
Y wlad dragwyddol hon;

All nonsense, Dafydd Davis,
I havn't finished yet,
Mae pob gwniadur yma
Yn fwy o faint na het.

Dewch i'r America ayb . . .

Roedd y Dafydd Davis hwnnw yn destun chwilfrydedd mawr i mi, ond er holi'n daer, fwy nag unwaith, chefais i byth wybod pwy oedd o er bod Daid Llan yn cymryd arno ei fod yn gwybod.

Ond os oedd unrhyw beth yn y llyfr yn apelio'n fwy na'i gilydd, hanes y *Royal Charter* oedd hwnnw. Am ryw reswm roedd y gerdd am y llongddrylliad hwnnw yn fy nghyfareddu a'r enwau cyfarwydd oedd ynddi, ynghyd â chynnwrf ei naratif, wedi mynd â fy mryd yn llwyr:

Aent heibio i Ben Caergybi
Heb lechu at y lan,
Ond cawsant storm erchyslon
Rhwng Môn ac Isle of Man;
Daeth nos ofnadwy dywel -
Mor erchyll oedd yr awr,
A'r crochfôr y pryd hynny
Ar lyncu'r llong i lawr

Nol pasio Point y Linws –
Mae tristwch cofio'r tro –
Trigolion Moelfre dystiant –
Hir gadwant hyn mewn co';
Y môr a'i donnau mawrion
A ruai'n greulon gry'
Pan ddaeth mordeithwyr druain
I erchyll ddamwain ddu.

Ac i roi hufen ar yr arlwy, megis, byddai fy nhaid yn dweud stori'r llong, gan gyfeirio at y ffaith ei fod wedi clywed ei dad yn sôn am y bore pan daflwyd y llong ar y Creigiau Duon ger Moelfre yn 1859 gan ei fod wedi bod yn llygad-dyst i'r digwyddiad hwnnw. Byddai'n sôn hefyd am sut yr oedd yr union storm honno wedi dymchwel talcenni'r ysgol newydd oedd yn cael ei hadeiladu yn nhref Amlwch ar y pryd.

Ym mlynyddoedd ei ieuenctid, gweithiai Daid Llan fel cariwr, yn cludo mwynau copr gyda cheffyl a throl o Fynydd Parys i Borth Amlwch. Byddai wrth ei fodd yn adrodd hanesion am y cyfnod hwnnw, ac yn dweud sut y byddai'n cadw cerrig wrth law yn ei drol er mwyn taro'n ôl pan fyddai hogia anwaraidd Porth Amlwch yn pledu cerrig ato. Roedd caledi'r bywyd hwnnw a nychdod blynyddoedd dirwasgiad ei ieuenctid wedi serio'u hunain ar ei gof a rhoddai'r bai am hynny ar y Blaid Dorïaidd, plaid a gasâi gyda chas perffaith, weddill ei ddyddiau. Roedd yn ddyn mawr talsyth, dros chwe throedfedd a thair modfedd yn braf, ac ar un amser roedd o'n enwog am ei gryfder. Ymhyfrydai yn y ffaith ei fod yn gweithio yn Eglwys Eilian pan dynnwyd cenedlaethau o haenau o wyngalch oddi ar y sgrin yn y grooglofft gan ddadlennu llun ysgerbwd â'r geiriau 'Colyn angau yw pechod' sydd arni. Adroddai, hefyd, gyda chryn arddeliad, am y tro hwnnw pan ddaeth rhyw ymchwilydd o ŵr dieithr i gylch Amlwch i geisio chwilio am dystiolaeth am effaith y Llychlynwyr ar yr ardal. Er na alla'i roi llawer o goel ar stori mor simsan â honno, honnai fod y dyn hwnnw wedi pwyntio ato ar y stryd yn Amlwch ac wedi dweud 'Dacw un ohonyn nhw yn fan'cw!' Mae fy ymserchu afresymol i yn yr haul a'i gynhesrwydd weithiau yn ddigon i wneud i mi ofyn a oes rhyw enynnau bach yn rhywle yn fy etifeddiaeth, sef y cromosom Y o'r math R, sef yr un sy'n nodweddu llinach

Daid Llan o flaen y siop

gwŷr y Gogledd, yn llechu yn rhywle yn fy nghyfansoddiad innau a 'mod i, yn nyfnderoedd anhygyrch cof fy hil, yn dal i gofleidio atgofion am y gaeafau iasoer hynny y bu fy nghyndadau yn eu dioddef mewn cil haul o lecyn ar lannau rhyw ffïord llwyd a rhynllyd yn Norwy.

Yn ei hanfod, gwladwr oedd fy nhaid. Roedd hen arferion y wlad yn agos iawn at ei galon a byddai'n bwyta ac yn yfed y pethau a ystyriwn i yn rhai rhyfedda'n fyw. Câi flas arbennig ar fara te, ar laeth enwyn ac ar yr hyn a alwai'n 'bosel llaeth'. Ond yr hyn a achosai'r difyrrwch mwyaf i ni'r plant oedd ei weld yn llyncu llwyeidiau anghynnes yr olwg o gymysgedd o fflŵr brwmstan a thriog gan honni bod hwnnw yn puro'r gwaed. Iaith y byd amaethyddol a honno wedi magu croen o gyfoeth y Beibl oedd ei iaith, ond prin iawn oedd ei Saesneg. Unwaith cofiaf iddo ofyn i mi, fel plentyn cymharol ifanc, fynd gydag o i Nebo, yn ymyl Pen-y-sarn, lle roedd rhyw Eidalwr y cyfeiriai fy nhaid ato fel 'Mr Barbargli'- gyda'r pwyslais ar yr 'g' – wedi ymgartrefu ac wedi sefydlu gwaith haearn bychan.

Erbyn hyn does dim modd i mi wneud rhagor na dyfalu am yr hyn a ddenodd crefftwr o ofaint o'r Eidal i adael ei famwlad a dod i fyw yng ngogledd Môn, ond y mae'n bosibl bod cysylltiad rhwng ei ddyfodiad i Gymru a theulu Neave, perchnogion plasty lleol, sef Plas Llysdulas. Dagnam Park, Swydd Essex, oedd cartref y teulu Neave a chlywais fy mam yn sôn fwy nag unwaith am y modd y byddai hi a phlant ysgol Amlwch yn cael eu gwysio i chwifio eu fflagiau Jac yr Undeb er mwyn cyfarch y boneddigion hynny pan fydden nhw a'u teulu yn cyrraedd stesion Amlwch o dde Lloegr ar eu ffordd i dreulio'r tymor saethu yn Llysdulas. Yn ddiddorol iawn, ac yn unol â'r confensiwn a fodolai ymhlith crachach yr oes honno, fe anfonwyd dwy o ferched ifanc y teulu Neave ar *Grand Tour* o wledydd Ewrop, ac yn sgil hynny roedd un ohonyn nhw wedi llwyddo i fabwysiadu morwyn Eidalaidd o'r enw Felicina Contrucci. Mae bedd honno i'w weld ym mynwent Eglwys Llanwenllwyfo, sef yr eglwys a noddwyd gan y teulu Neave. Ond mae'r cysylltiad Eidalaidd yn gryfach na hynny. Heb fod ymhell o'r fan lle safai Plas Llysdulas, ger y Trwyn Du ac ar lan y môr, fe gododd teulu'r Plas dŷ o'r enw Portobello. Mae fersiwn cyfoes map yr Arolwg Ordnans yn cofnodi'r enw hwnnw, ac yn gwneud hynny ar draul yr hen enw Cymraeg. Mae'n debyg bod yr enw Eidalaidd wedi ei fabwysiadu am fod yr olygfa o Draeth Dulas i gyfeiriad Penygogarth ac arfordir y gogledd yn cymharu'n ffafriol iawn gydag unrhyw olygfa a welodd y merched ifanc ar eu teithiau yn yr Eidal.

Roedd fy nhaid wedi clywed bod Mr Barbargli yn grefftwr o'r iawn ryw a'i fod yn gallu llunio twcaod cywrain o lafnau hen sbring car, ac roedd yn awyddus i berswadio'r dyn dieithr i wneud cyllyll o'r fath ar gyfer eu defnyddio yn y siop neu'r lladd-dŷ. Fy nhasg i oedd gweithredu fel cyfieithydd. Rhywsut, er mai digon prin oedd fy Saesneg innau, llwyddais i ddod i ben â hi, gan ymateb i orchmynion a chwestiynau fy nhaid a cheisio gwneud synnwyr o Saesneg digon carbwl yr Eidalwr wrth i hwnnw chwifio ei freichiau i roi grym i'w fynegiant, a chan arddangos samplau o'i waith a cheisio parablu ar yr un pryd. Hyd yn oed heddiw, mae'r cof am hynny'n ddigon cadarn i'm galluogi i weld cochni ffwrnais fechan Mr Barbargli a chlywed oglau'r nwyon a godai ohoni, gweld y dryswch yn wyneb fy nhaid, wrth i'r ddialog gloff rhwng ei ŵyr a Mr Barbargli fynd yn fwy a mwy o ddirgelwch iddo, a'i glywed yn dweud: 'Deud wrtho fo' neu 'Be ddeudodd o?' neu 'Pera iddo fo'. Mae'r twca hwnnw, a luniwyd mor bell yn ôl, yn dal i gael ei ddefnyddio yn siop y Corwas!

Am fod angen cerbyd o ryw fath i ddibenion y busnes cig, roedd car yn rhan o fy mywyd o'r cychwyn cyntaf a chael mynd yn y car hefo Daid Llan yn un o freintiau mawr fy mhlentyndod. Hen *Morris Cowley* oedd yn dyddio'n ôl i tua 1933 oedd yr un cyntaf ydw i'n ei gofio. Yn hwnnw byddai Daid Llan a minnau'n cael mynd ar ein teithiau niferus, i ddanfon cig 'i'r wlad' fel y byddai'n cyfeirio at Ros-goch a Charreg-lefn a ffermydd fel Rhyd y groes [Recroes i ni, ar lafar], Hafod Llin, a'r Felin Wen. Y Felin Wen oedd cartref teulu'r Parch Huw Jones, Rhuddlan, yr oedd ei chwaer, Ella, yn cyfoesi hefo fi yn yr ysgol. Ella, mae'n debyg, oedd gwrthrych y gân 'Nelw'r Felin Wen' y byddai Triawd y Coleg yn ei chanu yn y Noson Lawen. Un daith o'r cyfnod sy'n fyw iawn yn y cof yw'r un y bûm i arni hefo Daid Llan i'r Traeth Coch i hel cocos. Fi oedd yn gyfrifol am gario'r cribyn a'r hyn sy'n aros yw'r drafferth a gawn i gyd-gerdded â dyn yr oedd angen i mi gymryd dwy gam am bob un o'i eiddo fo. Fuon ni fawr o dro yn llenwi'r bwcedi ond roedd Daid Llan ar fwy o frys byth ar y ffordd yn ôl ac yn fy siarsio innau i frysio mwy fyth rhag ofn i'r llanw ein dal ni ar y traeth. Roedd Daid Llan yn 'sgud am gocos.

Dro arall rydw i'n cofio mynd hefo Daid Llan yr holl ffordd ar draws yr ynys, i fferm Mynydd Celyn ger Caergybi, lle roedd rhai o'r teulu yn ffermio. Yn y dyddiau

hynny roedd teithio'r ugain milltir ar draws Ynys Môn yn cael ei hystyried yn daith bell, yn enwedig o gofio na wnaeth fy nhaid, er iddo gael byw ymhell tu hwnt i oed yr addewid, deithio dim pellach na Lerpwl yn ystod oes gyfan. Fy swyddogaeth i yn y *Morris* oedd cadw llygad ar y deial oedd ar ben blaen y boned, sef y deial oedd yn dangos beth oedd tymheredd y dŵr yn yr injan. Yn ôl Daid, byddai'r injan yn berwi os gwnâi'r hylif symud i ran goch y deial, ond er i mi rythu a rhythu, ni ddigwyddodd y trychineb hwnnw erioed. Gan mai gyda throl a cheffyl y bwriodd Daid ei brentisiaeth, fyddai o byth yn gyndyn o roi llathen o dafod i'r car pan fyddai'n gwrthod iddo ufuddhau, ac yn aml byddwn yn clywed olwynion cocos yn crensian yn rhywle ym mherfeddion y *Morris* wrth i Daid Llan chwilio'n ofer am y gêr nesaf. Bob wythnos, bron, byddai'r car yn gyndyn i ufuddhau a rhyw wal neu gilbost yn rhywle yn cael ergyd ganddo ar waethaf ei ymdrechion i'w gadw ar y llwybr cul. Roedd y drofa gyfyng i mewn i'r Maes Mawr, ger Llanfechell, lle bydden ni'n mynd i nôl menyn bob dydd Mercher, yn achosi poendod cyson, a rhegfeydd gwerinol Daid Llan yn rhai mwy addas i'w defnyddio gyda cheffyl na pheiriant, a'r clustiau a'u clywai ar y pryd yn rhai diniwed sobr. Ffyrdd tawel, di-draffig oedd ffyrdd Sir Fôn y cyfnod hwnnw, ond gyrrwr pwyllog oedd Daid. Pan fyddwn i'n edliw ei fod yn mynd yn rhy araf, ei ateb fyddai 'Choeliais i fawr' a phan geisiwn ei annog i fynd yn gyflymach, ei ateb stoc fyddai, 'Twt, twt, rydw i'n mynd fel mwg tatw yn barod'. Yr unig eglurhad oedd i'w gael ganddo oedd bod mwg tatw yn mynd mor gyflym fel nad oedd neb erioed wedi'i weld.

Pan ddaeth car arall i gymryd lle'r hen *Forris*, penderfynodd Daid Llan ei fod am roi'r gorau i ddreifio. *Hillman Minx* du, rhif EXB 616, oedd y car a ddaeth i lenwi'r bwlch, a rhinwedd fawr hwnnw yn fy ngolwg i oedd bod ei do yn agor fel y gallwn i roi fy mhen allan yn y gwynt wrth deithio ynddo. Bu'r *Hillman* yn gyfaill ffyddlon i 'nhad trwy gydol blynyddoedd y Rhyfel.

Roedd gan Daid Llan lais canu da, a chyn iddo symud i'r dref i fyw bu'n godwr canu yng Nghapel y Parc. O dro i dro, byddai'n dod â hen Fodiwlator Curwen o'r drôr ac yn ceisio fy mherswadio, yn ofer, i ddysgu'r Sol-ffa. Soniai'n aml am ei chwaer, Hannah, a oedd yn dipyn o gantores ac yn eithaf enwog yn yr America, lle bu'n aelod o gwmni Opera Metropolitan Efrog Newydd. Weithiau, wrth i ni fynd ar draws gwlad yn y car, byddai'n morio canu emynau di-rif, gan orffen, bron bob tro gyda'r un un, sef ei ffefryn:

Adenydd colomen pe cawn,
Ehedwn a chrwydrwn ymhell;
I gopa Bryn Nebo mi awn,
I olwg ardaloedd sydd well:
Â'm llygaid tu arall i'r dŵr . . .

Mae geiriau hwnnw'n eiddo y byddai fy nghof yn gyndyn iawn i ollwng gafael ynddo ac alla'i byth wrando arno'n cael ei ganu heb i'r atgofion am Daid Llan, am Nebo, Pen-y-sarn, a chochni ffwrnais Mr Barbargli lifo'n ôl i'r cof. I mi, y Nebo yn yr emyn oedd y Nebo uwchlaw Pen-y-sarn lle roeddech chi'n gallu gweld ymhell, dros diroedd Môn i gyfeiriad Eryri a draw i'r cyfeiriad arall at Benygogarth a'r tiroedd pell, lledrithiol tu hwnt iddo. O edrych i'r gogledd, o'r un fan, ar ddiwrnodau prin ac eithriadol o glir roedd mynyddoedd Iwerddon i'w gweld yn y pellter tu hwnt i'r gorwel. Ond dyddiau prin, prin oedd y rheini, a phan fyddai Mam yn dweud 'Mi fyddi di'n gweld y Werddon cyn y gweli di hwn'na' mi wyddwn i y byddai angen i mi arfer 'perffaith amynedd' fel y byddai Daid Llan yn dweud.

Dim ond Daid Llan a fyddai'n defnyddio fy enw llawn

wrth fy nghyfarch. 'Gruff' neu 'Guto' gawn i gan bawb arall er y byddai fy nhad, os byddai hwyliau drwg arno neu os byddwn i wedi tramgwyddo mewn rhyw fodd, ambell waith yn sôn am 'yr hogyn Gruffudd 'ma!'

'Hen ferch' a defnyddio terminoleg digon diraddiol ac angharedig y cyfnod hwnnw, oedd chwaer fy nhad, fy Modryb Lis. Am fod ganddi ddiffyg pur ddifrifol ar ei llygaid ni allodd fynd i weithio na byw bywyd normal, ac fel llawer o ferched eraill di-briod ei chyfnod, treuliodd y rhan helaethaf o'i hoes yn gofalu am ei thad. Roedd ein perthynas ni'r plant gyda Lis yn un rhyfedd, a thynnu coes yn rhan ohoni, ond ar waetha'r gagendor oedran oedd rhyngddon ni, roedd hi'n debycach i chwaer fawr na dim arall. Byddai Lis yn gwneud ei gorau glas i helpu fy mam o gwmpas y tŷ ac un o'i harbenigeddau oedd gwneud crempogau. Pan ddigwyddai hynny, yr her fawr a wynebai fy mrodyr a minnau oedd eu bwyta yn gyflymach nag y

medrai hi eu gwneud nhw ar y stof nwy digon annigonol oedd ganddi. Yn amlach na pheidio ni fyddai'n ennill y gystadleuaeth. Yn y diwedd, wedi i ni fynd yn hŷn, yn fwy barus, ac yn fwy abl i lowcio crempogau yn eu crynswth, penderfynodd mai'r unig ffordd ymwared iddi oedd cynhyrchu tomen ohonyn nhw ymlaen llaw. Ond er yr herian a'r tynnu coes, doedd dim yn mennu llawer ar Lis a gallaf ei gweld y funud hon, gyda'r hanner gwên oedd mor nodweddiadol ohoni ar ei hwyneb, y ffedog na fyddai byth bron yn ei thynnu yn dynn amdani, yn sefyll wrth y stof yn mwmian canu:

Modryb Elin Ennog,
Mae 'ngheg i'n grimp am grempog;
Mae mam yn rhy dlawd i brynu blawd,
A Siân yn rhy ddiog i nôl y triog,
A 'nhad rhy wael i weithio –
Os gwelwch chi'n dda ga'i grempog?

Meddai ar gyfoeth o hen benillion a rhigymau eraill a phan fyddai hwyliau da arni byddai'n cloddio am y rheini yn ei chof a golud y *repertoire* honno'n dod i'r amlwg. Byddai'n mynd â ni'r plant i'w chanlyn i gyfarfodydd o bob math. Yn ei chwmni ar noson loergan leuad, pan oeddwn i'n ddim o beth, a ninnau'n dau'n cerdded adref law yn llaw o gyfarfod hwyr mewn capel yn y Borth y dysgais i:

Lleuad yn ola, plant bach yn chwara..

Ar y pryd roedd gen i obsesiwn plentyn gyda bwganod a honno oedd ffordd Lis o gyfeirio fy sylw at bethau eraill.

Y LONGAE A THEULU MAM

Joni Jones, neu 'Joni Longae' oedd enw fy nhaid arall, sef y taid y cyfeiriwn i ato fel Daid Nain. Tyddyn oedd y Longae ar gyrion y dref, ar y ffordd i Borth Llechog. Byddwn yn mynd yno'n aml i weld Nain, gan gerdded i fyny'r allt heibio i'r Ysgol Rad ac yna heibio i'r Eglwys Gatholig anghonfensiynol ei phensaernïaeth oedd ag arwydd y tu allan iddi oedd yn dwyn y geiriau 'Ein Noddfa Ni Seren y Môr'. Bu'r geiriau hynny, oherwydd eu hodrwydd cystrawennol, mae'n debyg, yn destun cryn ddryswch i mi am flynyddoedd. Gyferbyn â'r eglwys yr oedd y Gwyndy, sef cartref Dr Thomas Jones, y meddyg teulu y cafodd ysgol uwchradd y dref ei henwi ar ei ôl.

Yn y cyfnod hwnnw roedd y Longae yn cynrychioli rhyw fath o baradwys i mi. Yn wahanol i'r Corwas, oedd yn dŷ heb ardd o unrhyw fath yn perthyn iddo, roedd gardd eang o gwmpas y Longae, cae eithaf mawr o'i flaen a dau gae, gan gynnwys y Llain Fain y tu ôl iddo. Roedd angen mynd ar draws un rhan o'r ardd i gyrraedd y tŷ bach ac ar draws rhan arall i gyrraedd tŷ gwair a beudy bychan. Tyfai Daid Nain lysiau a ffrwythau, gan gynnwys yr eirin Mair melysaf, y riwbob mwyaf blasus a'r mintys mwyaf persawrus a welodd wyneb daear erioed. Ar ben hynny byddai'n cynaeafu'r gwair o'r caeau ac yn ei ddefnyddio i borthi'r fuwch a roddai lefrith i'r teulu. Er bod nifer o fyngalos digon anghymharus yn sefyll ar dir y Longae erbyn heddiw, a'r teulu wedi hen ymadael â'r lle, rydw i'n grediniol bod arogl meddwol mydylau gwair fy nhaid yn dal i lechu yn rhywle yn yr awel yn y cilfachau o gwmpas yr hen dŷ.

Weithiau byddwn yn cael mynd i gysgu i dŷ Nain. Tŷ gydag ystafelloedd cymharol fychan oedd o, a chyfyngder y gofod oedd ar gael ynddo yn cael ei wneud yn saith gwaeth gan y ffaith fod un o'i ystafelloedd yn un nad oedd neb, bron iawn, yn cael mynd ar ei chyfyl. Parlwr gorau Nain oedd hwnnw, lle na chefais i erioed fawr mwy na chipolwg sydyn arno, ond lle y byddwn i'n rhyfeddu ato pan gawn i agor ei ddrws hanner gwydr a chael syllu ar y rhyfeddodau oedd yn llechu ym mhob cornel ohono, o amrywiaeth o flodau a ffug blanhigion o bob lliw a llun a'r cyfan i gyd wedi'u gosod yn gywrain mewn casau gwydr o wahanol siapiau. Y peth arall arbennig ynghylch tŷ Nain oedd yr arogl unigryw oedd yn perthyn iddo. Does dim ansoddair all ei ddisgrifio, dim ond dweud mai arogl tŷ Nain oedd o a'i fod yn newid yn barhaus am mai cymysgedd o arogl tân glo, arogl stof baraffin ac arogl y bwydydd y byddai Nain yn eu paratoi a rhyw arlliw o leithder o rywle pell oedd o. Ac am braf oedd cael mynd yno i aros a chael mynd ar draws caeau Cae Syr Rhys i nôl dŵr o'r ffynnon a hel berw'r dŵr hefo Daid Nain, ac eistedd yn y gegin gyda'r nos hefo Nain a Daid yng ngoleuni'r lamp baraffin, yn gwylio'r fflam wrth iddi hi fwydo'i hun o'r gronfa wydr cochliw oddi tani a gweld y goleuni crynedig yn gryndod yn y cysgodion o'n cwmpas. Gwell fyth oedd cael cychwyn i fyny'r grisiau i dywyllwch mwy dudew byth, canhwyllbren yn fy llaw a Nain yn fy nilyn ac yn lapio dillad y gwely'n dynn amdana'i.

Roeddwn i'n meddwl y byd o Daid Nain. Byddwn yn ei weld, ryw ben o bob dydd, gan fod ei fan gwaith, sef gwaith Baco Amlwch, y drws nesaf i'r Corwas. Cwmni

Edward Morgan oedd perchnogion y gwaith baco, a Daid Nain oedd y fforman yn y ffatri. Roedd y busnes gwerthu baco yn un llewyrchus yn y cyfnod hwnnw, a châi hynny ei adlewyrchu yng nghrandrwydd y rheiliau haearn bwrw addurnedig oedd o flaen y swyddfa, gan fynedfa lydan a thrawiadol yr adeilad, a chan y swyddfa helaeth lle byddai cwsmeriaid yn cael eu croesawu. Ond un diwrnod daeth dynion dieithr i dynnu'r rheiliau i lawr, gan fod rhyw Mr Churchill wedi dweud bod angen yr haearn bwrw i wneud tanciau. Dim ond yn ddiweddar y deallais mai i ryw domen anferthol yng nghanolbarth Lloegr yr aed â'r rheiliau hynny, fel rheiliau sawl lle arall, ac mai gwir ddiben casglu'r haearn oedd cyflyru'r bobl i gredu eu bod yn cyfrannu at yr ymgyrch yn erbyn Hitler trwy ganiatáu i hynny ddigwydd.

Cyfrifoldeb Daid Nain oedd derbyn dail baco o wahanol wledydd, goruchwylio'r broses falu, a'u cymysgu er mwyn rhoi i faco Amlwch ei flas a'i arogl unigryw. Pan fyddai'r dail baco, a ymddangosai'n anferthol o fawr i mi fel plentyn, yn cyrraedd Amlwch, roedd y rhan fwyaf o'u sudd naturiol nhw wedi hen sychu. Yn y gwaith o gymysgu gwahanol fathau o ddail yr oedd y galw pennaf am brofiad a medrusrwydd Daid Nain, ond cyn y gallai wneud hynny roedd angen ychwanegu rhyw gymaint o ddŵr atyn nhw, gan gofio fod rheolau Adran Tollau a Thramor Ei Mawrhydi yn gosod terfynau pur gaeth i swm hwnnw. Mae gen i gof eglur am gael mynd ato i'r gwaith, lle roedd twrf y peiriannau yn diasbedain o fy nghwmpas a'r strapiau lledr llydan oedd yn trosglwyddo grym o un lle i'r llall yn chwipio, yn clecian ac yn troelli'n ddiflino. Y peiriannau hyn oedd yn gyrru'r gyllell finiog, debyg i *guillotine* oedd yn codi ac yn gostwng gan dorri'r dail baco yn llinynnau main. Yno, fel brenin yn ei farclod bras, y safai fy nhaid yn feistr ar y cyfan i gyd. Byddai'n cario aroglau'r baco gydag o, ble bynnag yr âi. Mewn ystafell arall, ar wahân, roedd y merched oedd yn gyfrifol am bwyso a phacio'r gwahanol fathau o faco y byddai Daid Nain wedi'u cymysgu ar gyfer y farchnad. Rhan arall o gyfrifoldebau Daid Nain oedd parselu'r pecynnau bychan hynny ar gyfer eu hanfon i siopau ar hyd a lled gogledd Cymru. Roedd o'n chwip o barselwr a bron na fyddwn i'n dweud bod Daid Nain wedi gwneud y dasg o blygu papur, o dynhau a chlymu llinyn, yn waith o gelfyddyd.

Ar gyfer ei 'smygu mewn cetyn y bwriadwyd baco siag, ond yn y dyddiau hynny roedd yn beth pur gyffredin i'w weld yn cael ei gnoi gan rai o ddynion Amlwch. 'Tsioe' oedd yr enw a roddid i'r lwmp hwnnw o faco a gâi ei gadw yn y geg am amser maith. Yn aml byddai'r sudd a ddeuai ohono i'w weld yn goferu o gegau'r cnowyr ac yn diferu i lawr eu locsyn gên. Roedd hynny'n digwydd, mae'n debyg, oherwydd bod y nicotin yn y baco yn gwneud eu ceg yn ddiffrwyth! Dywedir bod Indiaid mynyddoedd yr Andes uchel hwythau yn cnoi *coca* i'w helpu i ymdopi hefo prinder ocsigen a bod hwnnw, hefyd, yn lliniaru unrhyw boen neu wayw corfforol sydd ganddyn nhw. Tybed nad oedd y tsioe yn cael yr un effaith yn union ar y cnowyr ym Môn mewn oes pan oedd llafur corfforol caled yn dal i fod yn rhan o fywyd y rhan fwyaf o bobl gyffredin?

Un o'r pethau mwyaf diddorol am fy nau daid oedd y ffaith eu bod yn hoff o'u peint. Gyda'r nos, sawl gwaith yr wythnos, byddai Daid Llan yn sleifio'n ddistaw o'r tŷ i'r *Bull* neu'r Eleth gerllaw ac yn dod yn ei ôl, fel y byddwn i'n synio am y peth, gydag arogl diddorol a gwahanol ar ei wynt. Dyn peint amser cinio oedd Daid Nain, ac er bod fy mam yn chwyrn yn erbyn 'yr hen ddiod 'na' fel y byddai'n cyfeirio ati, roedd hi'n rhy galon feddal i wrthod rhoi swllt neu ddau i'w thad o ddrôr y siop er mwyn iddo fedru gwlychu ei lwnc. Roedd meddylfryd dirwest wedi gwreiddio'n ddyfnach yn fy mam nag yn fy nhad. Tra byddai fy mam yn troi ei thrwyn ac yn gwaredu os byddai hi'n arogli hylif yr hopys a'r diafol wrth gerdded heibio i dŷ tafarn, roedd 'nhad yn fwy athronyddol. Yr hyn a'i cythruddai o, yn fwy na dim, oedd y bobl hynny oedd yn meddwi, yn dwyn anfri arnyn nhw eu hunain yn eu diod, ac yn esgeuluso eu teuluoedd yn y broses.

Teulu o Eglwyswyr pybyr oedd teulu Jane Hannah, fy Nain Longae. Evans oedd ei henw bedydd a hi oedd cyw y nyth. Roedd ganddi dri brawd a thair chwaer. Seiri coed oedd y dynion yn ei theulu a dywedir bod un o'i brodyr, yn dilyn anghydfod rhyngddo ef a brawd arall wrth iddyn nhw adeiladu tŷ o'r enw Llyndwr, wedi ymfudo i Batagonia ac wedi agor tafarn yno. Yn ôl y stori, Tafarn Amlwch oedd enw'r dafarn honno. Ei thad, a oedd yn saer medrus iawn, a luniodd y bwrdd derw hardd sydd yn cael lle amlwg ar yr allor yn Eglwys Sant Eleth hyd y dydd heddiw. Mynychai Nain Longae y capel yn bur hwyrfrydig, ond defodau a gwyliau'r eglwys oedd yn mynd â'i bryd. Cawn fy atgoffa ganddi, byth a hefyd, am ddyddiau gŵyl pwysicaf yr Eglwys. Hyd yn oed fel plentyn ifanc, roeddwn i'n ymwybodol iawn o'r modd yr oedd ei theyrngarwch i'r Hen Ffydd yn creu rhyw gymaint o dyndra ynddi hi ac yn ei pherthynas gyda'r capelwyr a'i hamgylchynai. Roedd hi'n wraig ddiwylliedig oedd â rhyw warineb tawel yn perthyn iddi, a doedd dim pall ar ei charedigrwydd. Un peth a ystyriwn i yn hynod yn ei chylch oedd ei harferiad, bob bore, o olchi ei llygaid yn ofalus, ofalus, gyda dŵr y cyfeiriai hi ato fel 'dŵr glaw Mai'. Byddai'r botel a ddaliai'r dŵr rhinweddol yn cael parch a gofal arbennig ganddi. Roedd Nain yn meddwl y byd o Kate Roberts a chofiaf iddi hi geisio dweud rhyw gymaint o hanes *'Traed mewn Cyffion'* wrtha'i. Rhoddodd gopi o'r gyfrol honno yn anrheg Nadolig i mi rai blynyddoedd wedi hynny. At Nain y byddwn i'n mynd pan fyddai gen i ryw waith dysgu mwy heriol na'i gilydd ar gyfer y capel neu'r Ysgol Sul. Un flwyddyn y dasg ar gyfer yr Arholiad Llafar oedd dysgu'r hanner cant ac un o adnodau sydd ym mhennod gyntaf Efengyl Ioan a heb anogaeth, perswâd a dyfalbarhad Nain, go brin y byddwn i wedi llwyddo i wneud hynny. Erbyn y diwedd gallai hi gychwyn mewn unrhyw fan yn y bennod a gallwn innau ymateb a mynd ymlaen i'r adnod nesaf. Ond nid fi oedd yr unig un oedd yn elwa ar ei charedigrwydd. Gwelais hi, sawl tro, yn rhoi rhoddion rhyfeddol o hael i gardotwyr, ac amdani hi, yn anad neb arall y bydda i'n meddwl heddiw, pryd bynnag y bydda i'n cerdded o'r tu arall heibio i werthwr y *Big Issue.* Am Nain, am TH Parry-Williams ac am y geiriau a ddefnyddiodd yntau i leddfu ei gydwybod mewn amgylchiadau tebyg:

> A mam, 'r wy'n siŵr, yr un awr yn rhoi clamp
> O gardod dwbwl gartref i hen dramp.

Yn y Longae, mewn oes pan oedd amgylchiadau trwch y boblogaeth yn ddigon main, y magwyd fy mam, ei chwiorydd Jane ac Alice, a Bessie a'i brawd, Goronwy Owen. Saer coed oedd John, gŵr Jane, ac ar drothwy'r rhyfel, cyn i'r ymgyrch enlistio i'r lluoedd arfog gychwyn, cafodd John swydd yng nghyffiniau dinas Caer ac aeth Jane ac yntau yno i fyw. Gwilym Owen, mab fferm y Foel Fawr, Tregele, oedd gŵr Alice. Yn y dyddiau hynny roedd fferm y 'Foel' fel roedden ni yn cyfeirio ati, yn parhau i ddibynnu'n llwyr ar geffylau gwedd.

Ar foreau Sul rhaid oedd i hogia'r Corwas, yng nghwmni 'nhad, fynd yn fân ac yn fuan am y Capel Mawr, a doedd wiw i ddim un ohonon ni lusgo'n traed na rhygnu'n hesgidiau ar y ffordd. Serch hynny, am mai fi oedd y plentyn hynaf roedd manteision yn dod i'm rhan a doeddwn i fawr o beth i gyd cyn i 'nhad ddechrau gadael i mi gerdded ar fy mhen fy hun o'r capel ar ddiwedd oedfa'r bore, a minnau wedyn yn ei mentro hi ar hyd y llwybr o'r Lôn Bach ar draws caeau Cae Syr Rhys, i gael cinio dydd Sul yn nhŷ nain Longae. Byddwn ar fy ngwyliadwriaeth, wrth groesi'r nentydd oedd ar y llwybr, rhag ofn i rai o'r crocodeilod yr oeddwn wedi gweld eu lluniau yn llyfrau'r Ysgol Sul fod yn disgwyl amdanaf, ond roedd peryglon y siwrnai enbyd honno'n cilio'n llwyr o'r cof pan fyddai arogl y cig rhost yn llenwi fy ffroenau a phan fyddwn i'n cael helpu Nain i roi siwgr am ben y pys slwtsh yn y sosban, neu'n cael mynd allan i'r ardd gefn hefo Daid Nain i nôl mintys. Ar ôl cinio, byddai Daid Nain yn 'mestyn yr Esboniad o'r cwpwrdd yn ymyl y lle tân ac yn eistedd i lawr i baratoi ei hun i fynd i'r Ysgol Sul. Cyn cychwyn am y capel byddai'n codi ei ddannedd gosod o'r bowlen oedd â *Steradent* ynddi, yn eu golchi'n lân a'u rhoi'n ei geg. Yna cawn fynd yn ôl i dŷ Nain i gael te a rhwng yr Ysgol Sul ac oedfa'r nos, byddai fy modrybedd a'u ffrindiau, fel un haid o beunod bronfawr, persawrus, yn dod at ei gilydd yn y Longae cyn cychwyn am oedfa'r nos. Byddwn innau'n cael mwy na'm cyfran o sylw ganddyn nhw ac ar ben fy nigon wrth gael fy nifetha'n lân.

FY RHIENI

Roedd fy nhad [a sain yr 'a' yn hir yn ei ganol bob amser], Owen Roberts, yn llai dyn o lawer na Daid Llan, ond roedd rhyw wytnwch anhygoel yn perthyn iddo. Etifedd ffurf fwyaf eithafol y foeseg waith Brotestannaidd oedd o, a'i anallu i segura nac ymlacio yn golygu ei fod yn greadur aflonydd ac anniddig os nad oedd o wrth ei waith. Roedd ei ynni yn ddihysbydd. 'Os wyt ti am wneud rhywbeth, gwna fo'n iawn' a 'Trwy chwys dy wyneb yr enilli dy fara' oedd y ddwy egwyddor a reolai ei fywyd ac un genhadaeth o'i eiddo oedd ceisio sicrhau fod pawb arall yn cyrchu'r un nod. O ddyddiau ei ieuenctid roedd o'n gaeth i dybaco, yn ysmygwr diedifar ac yn chwilio am y *Woodbine* agosaf i leddfu ei beswch cyn gynted ag y byddai'n deffro yn y bore. Syniai am ei fusnes fel alpha ac omega ei fywyd ac roedd gadael ei gynefin gwaith, hyd yn oed am ddiwrnod, yn peri loes iddo. Fel pob bod meidrol normal, roedd yn llawn o anghysonderau. Gallai fod yn chwyrn ei gondemniad o bethau diniwed fel chwarae cardiau a hap chwaraeon syml a doedd ganddo fawr o amynedd hefo gemau o unrhyw fath. Er hynny, doedd dim a roddai fwy o bleser iddo na chael mynd i weld pethau dyrchafol fel rasys milgwn neu wrando ar ymrysonau bocsio ar y radio!

Ymhyfrydai fy nhad yn nyfnder ei wybodaeth am ei filltir sgwâr ac am y bobl oedd yn byw ynddi. Gwyddai pwy oedd y ffermwyr y gallai ymddiried ynddyn nhw, pwy oedd y rhai oedd â graen ar eu ffermydd a phwy oedd yn ddi-raen a di-hid. Fel ei dad, roedd yn fargeiniwr heb ei ail ac âi â'i reddf fargeinio gydag o i bobman. Cofiaf unwaith iddo fynd i siop ym Mangor i brynu het ac achosi cythrwfl enbyd wrth iddo geisio taro bargen galed gyda rhyw lefnyn Seisnig digon haerllug.

Roedd ganddo ymlyniad diwyro wrth yr hyn a ystyriai'n chwarae teg a gwelais o, fwy nag unwaith, yn dweud ei farn yn blaen neu'n dal ei dir yn eofn mewn sefyllfaoedd lle roedd o dan anfantais neu lle roedd peryg iddo orfod wynebu gwrthdaro difrifol. Yn aml, gwnâi ddrwg iddo'i hun trwy siarad yn blaen. Roedd rhyw hiwmor tawel yn perthyn iddo a chwarae castiau a thynnu coes yn un o'i hoff bleserau.

Dau begwn bywyd fy nhad oedd y siop a'r lladd-dŷ, ac os oedd iddo ddihangfa o afael y rheini, wrth ymweld â'r farchnad anifeiliaid yn Llangefni neu wrth grwydro ffermydd yn bargeinio am stoc y câi honno. Yng ngwaelod y dref, ar lan yr Afon Goch, gyferbyn â depo bysiau'r Crosville yr oedd y lladd-dŷ ac yno y deuai ffermwyr a'u hŵyn a'u gwartheg a'u moch. Roedd y gymysgedd o ddŵr, biswail a gwaed a ddeuai o'r lladd-dŷ yn llifo ar ei union i ddŵr yr Afon Goch gan wneud cyfraniad sylweddol i'r budreddi oedd eisoes yn ei dyfroedd. Yn y cyfnod hwnnw, safai'r gwaith nwy, y 'Gias' fel y cyfeiriem ni ato, a gyflenwai'r dref, ger yr agoriad i ffordd y lladd-dŷ ac roedd y coctel o ddrycsawrau a ddeuai'n gymylau allan o hwnnw ac arogleuon y celanedd yr oedd fy nhad yn gyfrifol amdanyn nhw yn ddigon i daro dyn i lawr. Ar waethaf hynny, byddai'r lladd-dŷ yn ferw o bobl yn aml iawn ac er mor wrthun ac anghynnes yw'r broses o ddifa, blingo a diberfeddu creaduriaid byw roedd ysgafnder a hiwmor y gwmnïaeth a geid yno yn gwneud rhyw gymaint i orbwyso elfennau llai derbyniol. Ar ben hynny roedd y Gymraeg yn gyhyrog a thermau technegol y lladd-dŷ – y Cleddau Bleddyn, yr iau, yr elwlod, y perfedd bach a'r perfedd mawr, y stulas, y twcuod, y cambrenni ayb. yn cael eu harfer yn gwbl naturiol. Yn ei gynefin, yng nghanol y gwaed a'r budreddi, roedd fy nhad yn ei elfen a phe byddai gwobrwyon ar gael am grefftwaith mewn lladd-dŷ, byddai o yn sicr o fod wedi'u hennill. Roedd yn sicr ei annel gyda'r gyllell a'r llif a byddai'r lle fel pin mewn papur, bob amser, cyn iddo gadw noswyl.

Erbyn heddiw mae'r hen ladd-dŷ, fel y rhan fwyaf o ladd-dai bychan Cymru wedi eu cau, ond mae'n rhaid i mi gyfaddef nad yw fy atgofion i am yr un oedd yn rhan mor ganolog o fy mywyd fel plentyn yn rhai dymunol iawn. Yn wir, erbyn heddiw, mae'r atgofion hynny yn ddigon i wneud i mi waredu. Rhaid 'mod i'n ifanc iawn, yn rhy ifanc o lawer i fod yn dyst i ladd a blingo a diberfeddu, ond yno y byddwn i'n mynd i ganol yr erchyllterau i gyd, i gadw cwmpeini i Daid Llan a fy nhad pan oeddwn i'n ddim o beth. Yn y cyfnod hwnnw doedd dim darpariaeth i liniaru'r broses ladd nac i baratoi'r anifail mewn unrhyw fodd, ac mae'n debyg bod y sefyllfa a'i harogleuon enbyd yn creu dychryn ym meddyliau creaduriaid ymhell cyn iddyn nhw wynebu eu tranc. Pan fyddai'r amser i heffer neu fustach gael eu lladd, byddai rhaff yn cael ei chlymu am eu gyddfau, y rhaff yn cael ei dirwyn trwy dwll pwrpasol yn wal y lladd-dy a phen yr anifail, druan, yn cael ei dynnu trwy'r twll dan sylw. Yna byddai fy nhaid neu fy nhad yn defnyddio rhywbeth tebyg i gaib, oedd â phigyn main arni, ac yn rhoi un ergyd farwol a fyddai'n gyrru'r pigyn hwnnw trwy benglog yr anifail ac i mewn i'w ymennydd. Yn aml, byddai coesau'r creadur dan sylw yn parhau i symud am rai munudau ar ôl iddo syrthio'n un twmpath llipa i'r llawr. Roeddwn i yno, un bore, yng nghanol yr holl greulondeb, pan lithrais i ar fy hyd nes roeddwn i'n waed ac yn faw gwartheg o fy mhen i'm traed. Mae gen i gof byw am fy nhad yn fy nghario yn ei freichiau, yr holl ffordd i fyny Lôn Tan Fynwent [Lôn 'Gias' i ni, ar lafar] a heibio i'r Neuadd Goffa, ac am fy mam, yn ei dychryn o weld y golwg oedd arna'i, yn fy rhoi i sefyll â'm traed yn y sinc ger y drws cefn i'm hymgeleddu. Bu hwnnw'n brofiad pur drawmatig yn fy hanes a dim ond yn anfoddog iawn yr awn i ar gyfyl y lle ar ôl hynny. Yn wir, roeddwn i yn fy arddegau cyn i mi fedru dod i ryw fath o delerau gyda'r sefyllfa a dechrau mynychu'r lladd-dŷ unwaith yn rhagor heb i hynny beri gofid i mi.

Er nad oedd y cemegau diheintio sydd mor gyffredin erbyn hyn ar gael yn y dyddiau hynny, roedd ymorol am lanweithdra yn bwysig iawn i 'nhad. Dŵr poeth a sgwrio oedd ei ddau erfyn pennaf ac roedd rhaid i'r dŵr poeth fod yn ferwedig, neu'n 'fyrwedig' fel y byddai o'n dweud, ac i'r sgwrio fod yn ddidrugaredd. Roedd bwyler, ar ffurf crochan haearn bwrw wedi ei osod yng nghefn y Corwas ac un o'r tasgau wythnosol roedd gofyn i mi eu cyflawni oedd cynnau'r tân oddi tano. Erbyn amser cinio byddai'r tân wedi gwneud ei waith, y dŵr yn berwi a'r dasg enbyd o'i gario, fesul bwcedaid, o un pen i'r tŷ i'r llall yn cychwyn. Roedd hi'n dasg oedd yn gofyn am ofal a chryn fedrusrwydd. Byddai'r byrddau, y bloc torri, y llawr, y cyllyll a'r twcaod yn cael eu trochi a'u sgwrio, a soda yn cael ei ychwanegu at y dŵr pan fyddai gofyn am hynny. Yn eu tro byddai pob modfedd o deils y llawr yn cael eu golchi, eu sgwrio a'u sychu. Welais i erioed lychyn o flawd lli ar lawr siop fy nhad. Mae'n debyg y byddai'r fath beth yn wrthun yn ei olwg.

Roedd fy nhad yn feistr caled a chefais innau fy magu mewn cartref lle'r oedd disgwyl i bawb wneud ei ran. Doedd wiw gwrthod na bygwth gwrthod gan y byddai hynny'n sicr o dynnu'r geiriau annerbyniol 'grwgnach' neu 'gwarafun' o'i enau, geiriau y byddwn i'n casáu eu clywed. Dim ond un o'r dyletswyddau rheolaidd yr oedd disgwyl i mi ei chyflawni oedd mynd i ddanfon cig. Byddai Mam yn helpu i lwytho'r fasged wiail gan fy siarsio i gofio pwy oedd piau bob darn oedd ynddi a'm hatgoffa i drin pobl gyda pharch a chwrteisi. Yna byddai'r fasged yn cael ei gosod yn ei chrud ar flaen y beic a minnau'n ei chychwyn hi ar fy hald i Borth Llechog a Thre-dath, i Bentrefelin ac i Benrhyd a llawer lle arall. Gan fod cig yn drwm a'r beic yn drwsgl roedd y gwaith yn galed i fachgen ifanc ar ei brifiant ac yn aml byddwn wedi ymlâdd yn llwyr erbyn i mi gyrraedd yn ôl yn y siop. Ond ar ben y danfon cig roedd disgwyl i mi lanhau'r bachau mawr a'r bachau bach, glanhau'r ffenestri a golchi'r lloriau, troi'r maen crwn y byddai fy nhad yn ei ddefnyddio i hogi ei dwcaod arno a chant a mil o bethau eraill. Trylwyredd oedd arwyddair fy nhad. Wrth lanhau, wrth dacluso, wrth ladd oen neu fustach, wrth eu blingo, eu diberfeddu a'u paratoi ar gyfer y siop, roedd rhaid i bethau fod mor berffaith ag yr oedd modd iddyn nhw fod. Ni allai ollwng dim o'i law os nad oedd yr hyn a wnâi yn ei fodloni. Roedd ei oruchwyliaeth hollbresennol yn sicrhau fod pob un o'r tasgau oedd yn cael eu dirprwyo i eraill yn cael eu cwblhau i'r un safon.

Oherwydd yr oriau maith yr oedd gofyn i fy nhad a fy mam eu gweithio, prin oedd yr oriau a gaem ni gyda'n gilydd fel teulu. Pan ddigwyddai hynny, roedd angen rhyw ffocws penodol a'r rhai amlycaf sy'n aros yn fy nghof yw'r rhai yr oedd y radio yn ganolbwynt iddyn nhw. Rywbryd daeth yr ail set radio i'n tŷ ni, gan ddod â'r byd mawr a gwleddoedd fel Ymryson y Beirdd, a'r Noson Lawen yn ei sgil. Mewn gwrthgyferbyniad llwyr â'r pethau hynny, roedd bocsio yn un o ddiddordebau prin fy nhad a phan fyddai gornest yn cael ei darlledu ar y *Bush* fyddai wiw i neb yn y Corwas ddweud gair. Enwau mawr y cyfnod oedd bocswyr fel Freddie Mills, Nel Tarleton, Bruce Woodcock, a rhyw baffiwr y byddai'r sylwebyddion yn cyfeirio ato fel yr Aldgate Tiger, sef Al Philips. Pan fyddai un o'r rheini'n paffio byddai pob gair a ddeuai o enau W Barrington Dolby neu Raymond Glendenning yn cael gwrandawiad astud.

Blynyddoedd y tywyllwch oedd blynyddoedd y rhyfel, gyda phwyslais mawr ar beidio â gadael i unrhyw oleuadau fod yn amlwg unwaith y byddai hi wedi nosi, a phobl awdurdodol yn mynd o gwmpas i sicrhau bod llenni a bleindiau wedi'u cau i'r pen. Am yr un rheswm, dim ond i ddibenion swyddogol y gellid gyrru car yn y nos a rhaid oedd gosod mygydau ar y lampau cyn y gallai unrhyw un oedd yn ddigon ffodus i fod â chyflenwad o betrol fentro allan. Gan fod y mygydau hynny yn atal y rhan fwyaf o'r golau rhag rhoi llewyrch i'r gyrrwr, a chan fod pob arwydd ffordd wedi'i dynnu i lawr rhaid bod gyrru, hyd yn oed yn eich cynefin, yn dipyn o fenter.

Cafodd fy nhad osgoi mynd i ffwrdd i'r rhyfel am na fyddai modd i'r busnes barhau hebddo, gan fod Daid Llan yn mynd i oed. Ar yr un pryd yr oedd dynion eraill y dref, gan gynnwys y rhai yr oeddwn yn eu hadnabod yn dda, yn eu cael eu gwysio i ymuno â'r lluoedd arfog. Yn eu tro aeth John Jones Penterfyn a Hugh *Ivy House* i ffwrdd i'r fyddin, a chofiaf gerdded i'r Longae rhyw fore a gweld Nain yn torri ei chalon wrth iddi hi olchi llawr y gegin. Pan holais beth oedd yn bod, dywedodd bod fy Ewythr Goronwy, sef ei mab, wedi mynd o'r cartref y bore hwnnw, i ymuno â'r fyddin. O fewn ychydig fisoedd, roedd fy Modryb Jane, chwaer fy mam, wedi gadael ei chartref yng Nghaer ac wedi dod yn ôl i fyw gyda'i mam a'i thad yn ei hen gartref yn y Longae. Y ffaith ei bod hi'n byw yn y Longae gydol y rhyfel a olygodd ei bod hi wedi bod yn rhan amlwg o flynyddoedd fy mhlentyndod. Roedd hi'n gymeriad yng ngwir ystyr y gair, ei gwallt mor danbaid fflamgoch â'i thymer, ond ei charedigrwydd yn ddihysbydd. Gan mai fi oedd mab hynaf ei chwaer hynaf, ystyriai fy mod i yn haeddu cryn dipyn o'i sylw a byddai angen i mi fod ar fy neg ewin rhag ofn i mi ei chythruddo. Cyfeiriai ata'i fel 'yr hirwch' a chan droedio'r tir canol rhwng y digrif a'r difrif byddai byth a hefyd yn edliw'r ffaith fy mod i mor denau a bod golwg arna'i, fel y byddai hi'n dweud, fel 'taset ti'n bwyta gwellt dy wely'!

Er nad oeddwn i'n ymwybodol iawn o'r math o'r isleisiau a'r rhagfarnau a fodolai ar y pryd, mae'n debyg bod y ffaith ei fod wedi cael aros gartref pan oedd pawb o'i gyfoedion wedi mynd i ffwrdd i'r rhyfel wedi bod yn fater problemus i fy nhad. Eto, mae'r cof yn annelwig, ond yn rhywle mae'r gair 'conshi' yn brigo i'r wyneb a rhyw ddigwyddiad annymunol, lle cafodd y gair hwnnw ei ddefnyddio, wedi gadael ei farc arna'i.

Fel y rhan fwyaf o'r dynion nad oedden nhw wedi mynd i ffwrdd i'r rhyfel, fe ymunodd fy nhad gyda'r *Home Guard*. Yn sgil hynny daeth y lifrai milwrol, gan gynnwys yr helmed fetel, i'r Corwas, ynghyd â reiffl Enfield .303 oedd yn cael ei chadw yng nghornel y gegin rhag ofn i'r *Wehrmacht* ymosod yn ddirybudd ar Amlwch. Hyd yn oed i mi fel plentyn, rhyw dipyn o fater i wawdio yn ei gylch oedd yr *Home Guard* a phan fyddai gofyn i 'Nhad fynd allan i ymarfer ei sgiliau milwrol byddai'r sgwrsio fore drannoeth yn awgrymu i mi nad oedd fawr neb yn cymryd y mater o ddifri. Unwaith, ar 'ymarfer' dros nos, llwyddodd rhyw griw o 'filwyr' llechwraidd eraill i ymosod ar fy nhad a'i gyfeillion gan daflu pentwr o flawd gwyn am eu pennau. Bu hen ysgwyd ar y lifrai am ddyddiau ar ôl hynny a sŵn chwerthin mawr yn dod o'r siop pan fyddai rhywun arall a fu'n dyst i'r digwyddiad yn galw.

Am resymau sy'n dywyll i mi, roedd fy nhad yn bur

chwyrn ei wrthwynebiad i'r undebau llafur ac yn tueddu, fel Methodist Calfinaidd da, i fod yn geidwadol ei farn. Roedd hynny ar waetha'r ffaith bod ei fywyd o ei hun yn un o lafur di-baid. Erbyn diwedd ei oes roedd ei blant wedi ei droi yn genedlaetholwr pybyr. Er iddo fod mewn nychdod am ddegawd olaf ei ddyddiau, wedi i'r *Woodbines* a chynhyrchion ffiaidd eraill W H & D O Wills ddod â chanser i'w ysgyfaint, cafodd fyw i weld y gymdeithas oedd mor annwyl yn ei olwg yn dechrau dadfeilio ac yn newid ei chymeriad wrth i fwy a mwy o newydd-ddyfodiaid ddechrau meddiannu'r dref a'r ffermydd yr oedd mor hoff o'u crwydro.

Roedd fy mam, Cassie, yn fwy hamddenol ei natur na fy nhad. Yn sicr, roedd ganddi hi fwy i'w ddweud wrth bethau'r meddwl a rhaid ei bod hi wedi bod yn ddisgybl ysgol lwyddiannus gan ei bod hi ymhlith y rhai a gafodd gyfle i fynd ymlaen o'r ysgol elfennol i'r cam nesaf yng nghyfundrefn addysg ei chyfnod. Yn nyddiau ei phlentyn-dod, doedd dim darpariaeth addysg uwchradd yn Amlwch ac oherwydd hynny roedd gofyn i unrhyw ddisgyblion a gâi eu dethol deithio'n ddyddiol ar y trên i Langefni i dderbyn eu haddysg. Am ryw reswm, fodd bynnag, byr fu ei harhosiad hi yn Llangefni ac er na chlywais i erioed eglurhad cyflawn am hynny, rhaid bod yr esgid yn gwasgu'n eithaf tynn ar deulu'r Longae ar y pryd a'r hyn oedd ar gael yn annigonol i'w chynnal yn yr ysgol. Hyd y gwn i wnaeth hi erioed fynegi unrhyw ofid na chwithdod am na chafodd hi fynd yn ei blaen trwy'r gyfundrefn er 'mod i'n grediniol ei bod hi'n teimlo hynny yn ei chalon.

Fel mwyafrif merched ei chyfnod roedd hi'n derbyn ei thynged yn ddirwgnach ac yn ceisio dygymod â'r bywyd a ddaeth i'w rhan fel gwraig briod a mam. Prin iawn oedd y cysuron a gafodd hi yn ystod ei hoes ac roedd hithau, fel fy nhad, yn gaeth i'r busnes ac yn rhannu'r gwaith a'r cyfrifoldebau oedd yn deillio o hynny. Yn wahanol i'w gŵr, fodd bynnag, mater o orfod gwneud yn hytrach na chael pleser yn y gwneud oedd hynny yn ei hanes hi. Treuliai gyfran helaeth o'i hamser yn y siop ac arni hi y syrthiai cryn dipyn o'r baich oedd yn gysylltiedig â chadw cyfrifon y busnes mewn trefn a chynnal holl gofnodion diflas ac ail-adroddus y busnes. Ar ben y gwaith beunyddiol oedd yn gysylltiol â'r siop, roedd hi hefyd yn gofalu am wneud bwyd ac am ysgwyddo'r holl feichiau oedd yn gysylltiedig â cheisio magu pedwar o blant. Hi oedd yn golchi, yn coginio, yn glanhau ac yn 'morol am y tasgau dirifedi a briodolwyd i ferched ei chyfnod a hynny heb ddim un o'r peiriannau a ystyrir yn hanfodol erbyn heddiw. Roedd fy nhad yn etifedd balch y traddodiad a ystyriai mai gwasanaethu oedd swyddogaeth y ferch, a disgwyliai gael gan fy mam yr hyn a alwai'n 'dendans' a hynny ar raddfa amser llawn. Wrth y bwrdd bwyd, os byddai'r te yn ei gwpan yn prinhau, byddai'n defnyddio ei lwy i daro'r soser fel ffordd o ddweud ei bod hi'n amser i Mam ei llenwi. Roedden ninnau'r plant wedi dal yr haint hwnnw ac ar hyd y blynyddoedd roedd pawb ohonon ni'n barod i weld ein mam yn glanhau ein hesgidiau, yn mynd allan i'r cwt yn y cefn berfedd gaeaf i nôl glo tra oedd pawb arall ohonon ni yn eistedd ar ein penolau yn ei gwylio. Am fod ganddi ragor na'i chyfran deg o obsesiwn ei chenhedlaeth gyda glanweithdra, roedd ceisio cadw'r Corwas yn daclus ar waethaf yr holl fynd a dod a'r tramwyo cyson rhwng y siop a chefn y tŷ, yn ei phoenydio. Bob prynhawn Sadwrn, wedi i'r siop gael ei hymgeleddu ar ddiwedd yr wythnos, byddai'n mynd ati yn fawr ei llafur er mwyn gwneud pob man yn weddus ar gyfer y Sul. Golygai hynny fynd ati ar ei gliniau i sgwrio pob modfedd o'r teils cerrig oedd ar loriau'r tŷ. Wedyn byddai'n mynnu symud pob dodrefnyn oedd ym mhob ystafell rhag ofn bod llwch wedi meiddio cuddio oddi tanyn nhw ers y Sadwrn blaenorol ac yn rhoi cŵyr ar bob modfedd ohonyn nhw.

Fel ei mam hithau, doedd dim pall ar garedigrwydd fy mam ac roedd rhyw deimladrwydd dwfn yn perthyn i'w phersonoliaeth. Bu colli ei chwaer, Bessie, neu 'Besi Bach' fel y cyfeiriai fy mam ati, pan oedd honno yn ei harddegau cynnar, yn loes fawr iddi. Fel gweddill teulu'r Longae roedd hi'n gantores dda iawn ac er i'w hanogaeth syrthio ar dir diffaith yn fy achos i, ymdrechodd yn galed i sicrhau y byddai fy chwaer yn cael addysg gerddorol briodol.

Oherwydd yr amryfal ofynion oedd arni, prin oedd yr amser oedd gan Mam i'w neilltuo ar gyfer ei phlant ac mae'n debyg ei bod hi'n ceisio gwneud iawn am hynny trwy ddibynnu ar ein hannog ac ar geisio hyd eithaf ei gallu i roi i ni gyda rhyw haelioni rhyfeddol. Yn aml iawn byddai'r rhoi hwnnw ar draul ei chysur hi ei hun. Roedd hithau, fel fy nhad, yn meddu ar ryw hiwmor tawel ac yn barod bob amser i chwarae castiau ac i dynnu coes. Pan fyddwn i'n groes neu'n methu'n lân â dod i ben â rhyw dasg, byddai'n edliw i mi yr ymadrodd 'Pan oeddwn i'n hogyn mawr ers talwm' y byddwn i'n hoff iawn o'i arfer, fel rhyw fath o amddiffynfa neu gysur i mi fy hun, pan oeddwn i'n llai.

YR YSGOL A CHYSGODION RHYFEL

Prin a digon annelwig yw fy atgofion am y cyfnod cyn yr Ail Ryfel Byd. Mae'n debyg mai fy nghof cyntaf i ydi'r un am ryw Nadolig. Ar y pryd, roedd dau ŵr ifanc y cyfeirien ni atyn nhw fel Hugh *Ivy House* a John Jones, Penterfyn, yn gweithio yn ein tŷ ni, yn helpu 'nhad a Daid Llan hefo'r busnes. Roeddwn i'n cael llawer iawn o sylw gan y ddau ac yn meddwl y byd ohonyn nhw.

Trwy'r ffenest fach o *'landing'* y Corwas roedd modd gweld to isel parlwr Daid Llan a Lis. Y Nadolig hwnnw, cyn i mi ddechrau mynd i'r ysgol dybiwn i, roedd Hugh Roberts, *Ivy House*, wedi rhoi rhywbeth coch amdano ac wedi dringo i ben y to, gan geisio fy mherswadio mai Siôn Corn oedd o. Bu'r digwyddiad yn un cynhyrfus iawn i mi, mae'n debyg, ond o chwith yr aeth pethau i'r Siôn Corn anturus ond diniwed hwnnw. To gwael oedd ar barlwr Taid, y llechi wedi braenu, a sawl bwcedaid o fortar wedi'u tywallt drostynt, i'w selio. Doedd dim byd gwaeth i do o'r fath na bod rhywun yn cerdded arno. Dyna pam mae fy atgofion am gynnwrf gweld Siôn Corn am y tro cyntaf yn un cymysglyd. Cynnwrf plentyn ar yr un llaw ac ofn plentyn ar y llaw arall wrth i mi glywed Daid Llan yn bytheirio a gweld llygaid Hugh *Ivy House* yn llenwi. Am wythnosau ar ôl hynny, roedd bwced ar lawr yn ymyl y bwrdd ym mharlwr Taid, a'r dŵr yn diferu iddi trwy'r nenfwd.

Mae'n debyg 'mod i'n codi'n bedair oed yn mynd i'r ysgol am y tro cyntaf. Rywbryd ar ddechrau 1939 yr oedd hynny a minnau, chreda'i byth, yn bur anfodlon am fod fy mrawd, John, oedd erbyn hynny'n ddwyflwydd oed, yn cael aros adref hefo Mam. I gerdded i'r ysgol roeddwn i'n mynd allan trwy ddrws cefn y Corwas, trwy'r ddôr fawr o flaen y garej ac yn cerdded heibio cartref Miss Jones, Siop Felin ac yna i gyfeiriad yr ysgol ar y ffordd i Ben-y-bryn. Cymysglyd iawn yw fy atgofion am y blynyddoedd cyntaf hynny. Rydw i'n cofio bod crocodeil mawr mewn cas gwydr yn y neuadd ganolog ac amryw o adar, realistig iawn yr olwg, yn sefyll yn fud lonydd o'i gwmpas. Edrych i'r cyfeiriad arall y byddwn i pan fyddwn i'n gorfod cerdded heibio i'r crocodeil. Edrych i'r cyfeiriad arall y byddwn i, hefyd, pan fyddai'r hogia drwg yn sefyll mewn rhes heb fod ymhell oddi wrtho, i ddisgwyl cael y gansen gan y Prifathro, Mr W T Jones. Un o hoff ddywediadau Mr Jones oedd:

Os cregyn gweigion sy'n y sach,
Rhai gweigion ddaw allan, bobol bach

a synnwn i damaid nad y cregyn a ystyriai ef yn rhai gweigion oedd y rhai a deimlai frath ei gansen yn fwy mynych na neb arall. Roedd gen i ei ofn am fy mywyd.

Bryd hynny, roedd plant hŷn yn mynychu'r ysgol, rhai ohonyn nhw'n grymffastiau mawr pedair ar ddeg oed. Roedd eu presenoldeb ar y buarth, ar y ffordd i'r ysgol ac ar y ffordd adref oddi yno yn ddigon i godi brawiau ar unrhyw blentyn bach. Un o'r pethau cyntaf a wnaeth argraff arna'i oedd eu gweld nhw'n pledu cerrig at blant Ysgol yr Eglwys, sef yr ysgol y cyfeirien ni ati fel yr Ysgol Rad, oedd wedi'i lleoli ar Ffordd Porth Llechog, led cae oddi wrth ein hysgol ni. Mae gen i gof byw, hefyd, o weld dau ohonyn nhw'n cwffio ryw amser chwarae nes roedd eu hwynebau yn waed i gyd ac am rai eraill yn ein dychryn, ac yn bygwth ein taflu ni'r plant bach dros wal yr ysgol, i'r cae islaw, ac i ganol y mieri a'r danadl poethion. Ac mae'n rhaid nad oeddwn i wedi cael fy nhraed danaf yn iawn pan ddechreuodd rhai ohonyn nhw fy mherswadio bod syrcas yn dŵad i'r ysgol, a bod y clown am daflu dŵr oer am ben y plant bach i gyd, nes y bydden ni'n wlyb at ein crwyn. Hwnnw oedd y diwrnod pan wnes i redeg adre o'r ysgol, llwyddo, wrth sefyll ar flaenau fy nhraed, i gyrraedd clicied y ddôr fawr yng nghefn y Corwas, a mynd i guddio i'r cwt glo, rhag ofn i Mam wybod mod i'n chwarae triwant. Ac yno y buaswn i, am wn i, oni bai am Mrs Evans drws nesa. Gan ei gŵr hi, Dafydd Evans y Tacsi, roedd y tŷ gwydr mwyaf yn y fro, a hwnnw'n dŷ gwydr yr oeddwn i'n medru edrych i lawr arno wrth edrych dros y wal wrth ymyl y tŷ bach yng nghefn y Corwas. Roedd yn nhŷ gwydr Dafydd Evans rawnwin yn sypiau anferthol, afalau gwlanog melys i'w rhyfeddu a ffrwythau eraill na welswn i erioed eu tebyg. Ac ambell dro pan na fyddai Dafydd Evans wrth ei waith, ac yn treulio'i amser yn tintran yn y tŷ gwydr byddwn yn cael mynd ato i'r cynhesrwydd mwythlyd ac yn cael blasu rhai o'r ffrwythau a dyfai o fy nghwmpas. Roedd Mrs Evans yn ffeind, wedi fy ngweld yn agor y ddôr fawr y bore hwnnw ac yn gwybod 'mod i i fod yn yr ysgol. Ac yn y cwt glo, yng nghanol y priciau a'r aroglau piso cathod y cafodd Mam hyd i mi.

Hwn, mae'n debyg, oedd y cyfnod pan oedd dylanwad cadarnhaol meddylfryd O M Edwards a'r Arolygiaeth Ysgolion oleuedig a Chymreig a fodolai ar y pryd yn dechrau dylanwadu o ddifrif ar athrawon, ac er bod rhai gwahaniaethau rhwng dosbarthiadau, roedd yr efengyl o Lanuwchllyn wedi syrthio ar dir ffrwythlon yn rhai ohonyn nhw. Yn y dosbarthiadau hynny y cefais i'r fraint o gael fy addysgu gan unigolion diwylliedig oedd yn awyddus i drosglwyddo i ni'r plant beth o gyfoeth diwylliant a llenyddiaeth Cymru a oedd yn rhan o'n hawliant. Yn y dosbarthiadau hynny, mae'n debyg, y dechreuais i fwynhau a dysgu barddoniaeth o ddifrif am y tro cyntaf a sylweddoli bod byd barddonol arall, tu hwnt i ffiniau'r hyn a glywais ar lin Daid Llan. Cefais i fodd i fyw yn rhai o'r dosbarthiadau pan gyflwynwyd rhai o faledi poblogaidd y cyfnod i ni ac roedd y gyfeiriadaeth forwrol yn *Cantre'r Gwaelod* ac *Ora Pro Nobis* yn apelio'n fawr ata'i. Mewn tref glan y môr roedd llinellau fel

. . . Ei long ef mor fechan
A'th fôr Di mor fawr.

yn drwmlwythog o ystyr.

Ac yna roedd y caneuon gwerin. Rhesi ar resi ohonyn nhw. Rywbryd yn ystod y blynyddoedd rhwng fy nyfodiad i'r ysgol a dyddiad ei gadael yn 1946 fe aeth rhai o'r athrawon ati, yn eithaf systematig mae'n rhaid, i wneud yn berffaith siŵr fod fy nghenhedlaeth i yn Amlwch yn cael ein trwytho yn y caneuon a ddylai fod yn rhan o hawliant ac o gynhysgaeth pob plentyn o Gymro. Dysgwyd *'Titrwm Tatrwm'*, *'Mentra Gwen'*, *'Ar hyd y nos'*, *'Y Deryn Pur'*, *'Bugeilio'r Gwenith Gwyn'*, *'Gwŷr Harlech'* a degau o rai eraill i ni, ac er y byddai rhai o buryddion cerddorol heddiw yn amau priodoldeb rhai o'r caneuon hyn i leisiau anaeddfed, byddwn i'n fodlon mentro anghytuno gyda'r safbwynt hwnnw gan feddwl am y sawl math arall o fudd a gefais i wrth eu dysgu.

Yn ogystal â'r cerddi a ddysgid i mi, cynigiwyd i mi arlwy gyfoethog ac amrywiol o storïau, gan gynnwys gweithiau Meuryn, R Lloyd Jones a Tegla Davies ynghyd â rhyw fersiwn o *'Taith y Pererin'* a wnaeth argraff ddofn arna'i ar y pryd. Ond o'r holl lyfrau a ddarllenwyd i ni, yr oedd un yn curo'r lleill o'r golwg a hynny am fod y stori oedd ynddo yn ymwneud â Mynydd Parys, Llaneilian, a mannau eraill oedd yn gyfarwydd i mi. *'Helynt Coed y Gell'* gan G Wynne Griffith oedd hwnnw. Fel roedd hi'n digwydd, roedd yr awdur yn gefnder i Daid Llan. Hwyrach bod fy marn yn ddiffygiol mewn gwrthrychedd oherwydd hynny.

Mae arddull ac ieithwedd y stori wedi dyddio'n enbyd erbyn hyn, a dyfyniadau o'r testun, fel y rhai canlynol, yn ymddangos yn ffurfiol ac yn hen ffasiwn:

> Erbyn i Dafydd ac Ifan orffen y dasg y maent yn chwys yn diferu, ond cyn llonned â' r gog, oblegid nid yw hi eto onid cynnar yn y prynhawn, ac y mae ganddynt oriau lawer o'u blaen cyn iddi dywyllu . . .

Ond mae'r naratif yn ddigon dyfeisgar a'r stori yn mynd rhagddi yn ddigon rhwydd i gynnal diddordeb darllenwr o blentyn i'r diwedd. I mi, ar y pryd, roedd hi'n stori wefreiddiol.

Doedd pethau ddim llawn mor oleuedig yn nosbarth uchaf yr ysgol lle roedd cysgod yr arholiad *Scholarship* yn tra-arglwyddiaethu ar bopeth, a'r pwyslais, am ein bod ni i gyd yn Gymry Cymraeg, ar feithrin ein hyfedredd yn y Saesneg. Arlwy ddiddiwedd a diflas o rifyddeg fecanyddol ac ymarferion darllen a deall oedd yr hyn a gynigid i ni, ddydd ar ôl dydd, a rhaid mai ychydig iawn o ysgrifennu o'n pen a'n pastwn ein hunain a wnaen ni ar wahân i baratoi'r hyn a elwid yn *'composition'* ar gyfer yr arholiad. Cofiaf i mi sefyll arholiad o fath arall, sef yr Arholiad Sirol yn yr Ysgol Sul yn y cyfnod hwn, a chael trafferth mawr i roi mynegiant i'm syniadau gan 'mod i mor anghyfarwydd â sgwennu yn fy mamiaith. Addysg lyfr-ganolog oedd addysg y cyfnod hwnnw, ac os nad wyf yn gwneud cam dirfawr â'r gyfundrefn, ni chredaf i'r ysgol wneud dim defnydd o gwbl yn ystod fy nghyfnod i o gyfoeth anhygoel yr amgylchedd oedd o'i chwmpas.

Cybolfa ydi'r gair gorau i ddisgrifio'r hyn y mae modd ei gloddio o'r cof am weddill y cyfnod yn yr ysgol gynradd. Rydw i'n cofio'r trowsusau byr, a'r oerni yn gwneud i groen fy nghluniau dorri, yn cofio'r annwyd oedd yn mynd a dod trwy'r amser. Mae gen i gof byw iawn am fynd i'r ysgol a phocedi fy nhrowsus yn llawn o'r gwichiaid yr oedd Mam wedi'u berwi'r noson cynt, ac yn cofio fel y byddwn i'n tyrchu gyda phin yn y cregyn am y rheini bob amser chwarae a'u cnoi, ynghyd â'r tywod oedd wedi cronni ynddyn nhw, yn union fel y mae'r genhedlaeth bresennol yn cnoi gwm. Cofio'r athrawes honno fyddai'n mynnu fod pawb yn y dosbarth, yn ei dro, yn sefyll i ddarllen ar goedd, a chofio sut y byddai hi'n gwneud testun gwawd o'r rhai nad oedden nhw'n ddarllenwyr rhugl. Cofio am y pinnau ysgrifennu gwichlyd erchyll oedd yn gwneud llunio pob llythyren yn brofiad arteithiol, am y potyn inc oedd ym mhob desg ac am yr ysfa oedd yng nghynnwys hwnnw i grwydro hyd fys a bawd. Cofio rhai o'r bechgyn anystywallt yn gwneud pelenni papur, eu mwydo yn yr inc, a'u pledu at blant eraill. Cofio'r profion sillafu a'r sarhad a ddioddefai rhai plant nad oedd y gallu i gofio trefn llythrennau yn un o'u talentau. Cofio'r concyrs, yr hadau egroes yn cael eu gwthio i lawr cefnau, y tanllwythi o danau glo y byddai'r athrawon yn sefyll o'u blaenau tra oedden ni'r plant yn rhynnu yn y cefn. Cofio bod papur yn brin, ac nad oedden ni byth, bron, yn cael tynnu llun.

Yn nyddiau cyntaf Medi 1939, a minnau wedi ail-gychwyn yn yr ysgol ar ôl gwyliau'r haf y digwyddodd rhywbeth a hoeliodd ei hun yn fy nghof am byth. Hwnnw oedd y tro cyntaf i'r hyn a oedd i ddatblygu i fod yn Ail Ryfel Byd gyffwrdd yn fy mywyd. Un pnawn, cyn gynted ag yr oeddwn wedi cyrraedd adref, cefais fy nhywys ar frys, yn llaw fy nhad, i Ben y Bonc, sef y gefnen tu ôl i'r ysgol, ac i olwg y môr. Roedd fy nhad a phawb arall oedd yno wedi cynhyrfu'n lân a'r cynnwrf hwnnw wedi'i drosglwyddo i mi. Rydw i'n cofio gafael yn dynn, dynn yn ei law. Ym Mehefin y flwyddyn honno, sef y mis pan anwyd fy ail frawd, Wyn, roedd y llong danfor newydd, *HMS Thetis,* wedi gadael Iard Cammell Laird ym Mhenbedw gyda'r bwriad o gwblhau ei threialon ym Môr Iwerddon. Mewn ychydig oriau roedd trychineb wedi digwydd, y môr wedi llifo trwy'r tiwb torpido yn ei blaen oherwydd bod hwnnw wedi ei adael ar agor, a'r llong wedi mynd ar ei phen i waelod y môr. O'i chriw o 103, dim ond pedwar a lwyddodd i ddianc. Fel y digwyddodd hi, ar y trydydd o fis Medi y llwyddwyd yn y diwedd i'w chodi o wely'r môr a'i thynnu i ddiogelwch cymharol Traeth yr Ora, ger Dulas. Hwnnw, hefyd, oedd y diwrnod pan welais i fy mam a fy nhad, Daid Llan a Modryb Lis yn sefyll yn stond o gwmpas y *Cossor* yn gwrando ar y llais o Lundain yn rhoi gwybod i'r byd bod Lloegr wedi cyhoeddi ei bod mewn stad o ryfel gyda'r Almaen. Yr hyn y bûm i'n dyst iddo, a'r hyn oedd yn gyfrifol am y fath gynnwrf ym Mhen y Bonc y diwrnod hwnnw oedd y ffaith fod y *Thetis,* wedi i'r rhan fwyaf o'r cyrff gael eu tynnu ohoni yn cael ei symud o Draeth yr Ora ac yn cael ei thynnu ar hyd glannau Môn, ar ei ffordd i harbwr Caergybi. Allan yn y bae roedd llong ryfel arall yn cadw gwyliadwriaeth. '*Maniwarsman*' oedd gair a ddefnyddiai fy nhad i gyfeirio at honno. Gair na chlywais i neb arall yn ei ddefnyddio na chynt na chwedyn.

Roedd cysylltiad, hefyd, rhwng gweld y *Thetis* a Phorth Amlwch. Hafn hir, gul, rhwng y creigiau, ond hafn sy'n ymledu yn ei phen pellaf yw'r porthladd. Am genedlaethau lawer, ac yn arbennig yn ystod cyfnod mwyaf llewyrchus y diwydiant copr, oddi yno y byddai llongau yn mynd â chynhyrchion y Mynydd a'r diwydiannau a ddibynnai arno i fannau eraill ar hyd a lled arfordir Prydain. Y drafferth fwyaf gyda Phorth Amlwch yw'r ffaith ei fod yn wynebu'r Gogledd, ac nad oedd morglawdd o unrhyw fath i'w gysgodi rhag y stormydd a ddaw o'r cyfeiriad hwnnw. Pan gafwyd stormydd o'r fath, gyda'r gwynt yn gyrru'r tonnau ar eu hunion i mewn i'r porthladd, câi'r rheini eu cywasgu wrth iddyn nhw ddod i mewn trwy'r agoriad cul yng ngheg y porthladd, a châi eu grym a'u huchder eu cynyddu o ganlyniad. Ar sawl achlysur bu hynny'n ddigon i fwrw'r llongau oedd yn rhannau mwyaf agored y porthladd bendramwnwgl i'w ben pellaf, gan eu pentyrru ar bennau unrhyw longau oedd yn digwydd bod yn y rhan fewnol, a chreu difrod mawr yn y broses. Trychinebau felly a barodd i'r awdurdodau benderfynu bod angen iddyn nhw weithredu i atal digwyddiadau o'r fath trwy adeiladu dau 'argae' symudol ar draws canol y porthladd fel y gellid, pan fyddai storm o'r Gogledd yn yr arfaeth, fynd ati i symud y llongau i gyd i'r rhannau mewnol mewn da bryd er mwyn eu diogelu. Er mai dyfais ddigon amrwd oedd yr argaeau hyn, sef un oedd yn dibynnu ar graen i godi nifer o drawstiau pren enfawr, a'u gosod ar bennau ei gilydd yn y rhigolau pwrpasol a adeiladwyd o boptu i'r harbwr, fe fuon nhw'n ddigon effeithiol. Wrth i'r rhyfel a'i effeithiau ddylanwadu'n gynyddol ar fy mywyd a dod yn elfen amlycach yn sgwrs yr oedolion yr oeddwn yn byw yn eu plith ac yn destun siarad a dyfalu rhyngddon ni'r plant, roedd llongau tanfor y 'Jyrmans' yn cael cryn sylw. Pan ddechreuodd rhai o fechgyn Porth Amlwch sôn am y llong danfor oedd wedi dod i mewn i'r Borth liw nos er mwyn dod ag ysbïwyr i'r lan, llyncais y stori yn ei chyfanrwydd. Yn ôl damcaniaeth y bechgyn hynny, roedd criw o filwyr wrth law yn y Borth, a'u gwaith oedd gosod y trawstiau mawr yn eu lle bob nos, er mwyn sicrhau na fyddai unrhyw long danfor yn gallu dod i mewn i'r Borth ar ôl hynny. Ond er bod yr hogiau eraill yn sôn byth a hefyd am longau tanfor, fi oedd yr unig un oedd wedi gweld un go-iawn.

I ychwanegu at y ffantasïau hynny ac i roi dimensiwn arall i longau tanfor a'u hanes, roedden ni'n cael ein hatgoffa byth a hefyd yn yr ysgol am ŵr unigryw o Borth Amlwch a oedd wedi ennill y Victoria Cross mewn brwydr gyda llong danfor Almaenig. William Williams oedd enw'r llongwr, gŵr yr oedd llun ohono yn cael lle amlwg ar y wal yn neuadd yr ysgol. Yn ystod y Rhyfel Byd Cyntaf, fel yn achos y rhyfel y bûm i byw trwyddo, roedd Llynges yr Almaenwyr wedi ceisio rhoi Prydain dan warchae trwy geisio rhwystro llongau cario nwyddau rhag cyrraedd yma. Defnyddiodd yr awdurdodau Prydeinig sawl tacteg i geisio taro yn ôl ac yng nghyd-destun un elfen ar y dacteg honno y daeth enw William Williams i'r amlwg.

Gwasanaethai Williams fel llongwr ar un o'r 'llongau Q' fel y gelwid nhw, sef llongau masnach oedd ag arfau cudd

arnyn nhw. Pwrpas y llongau hyn oedd mynd ati'n fwriadol i geisio dod o hyd i longau tanfor y gelyn er mwyn eu hudo i'r wyneb ac yna ymosod arnyn nhw. Ar y seithfed o Fehefin, 1917 bu'r llong y gwasanaethai Williams arni, sef *HMS Pargust*, yn llwyddiannus yn hynny o beth ond cyn iddi ddod i'r wyneb, taniodd y llong danfor, yr UC-29, dorpido gan daro'r *Pargust* a gwneud difrod digon difrifol iddi. Fel rhan o'r ystryw, aeth criw'r *Pargust* ati ar unwaith i ollwng y cychod achub, gan gymryd arnynt eu bod yn gadael eu llong. Heb yn wybod i'r Almaenwyr, gadawyd nifer bychan, dethol, o'r criw ar ôl. William Williams oedd un o'r rheini. Yn ochr y *Pargust* roedd bwlch cuddiedig, a'r gwn oedd wedi ei guddio tu ôl iddo gan ddrws metel, trwm. Bu ffrwydrad y torpido Almaenig yn ddigon i ysgwyd hwnnw fel ei fod bron â syrthio o'i le a phe bai hynny wedi digwydd byddai'r gwn wedi dod i'r golwg a'r UC-29 wedi deall beth oedd gwir natur y *Pargust.* Gan ragweld y perygl hwnnw, llwyddodd Williams, er bod pwysau'r drws yn sylweddol ac yn straen enbyd ar ei gorff, i ddal hwnnw yn ei le am fwy na hanner awr a phan ddaeth yr UC-29 i'r wyneb llwyddodd Williams a chyfaill iddo i agor y drws yn gyflym a thanio'r gwn. Bu'r un ergyd honno yn ddigon i suddo'r llong danfor. Dyfarnwyd medal Croes Fictoria iddo ef a'r swyddog a daniodd y gwn am eu dewrder.

Er bod Amlwch yn ddigon pell o sefyllfaoedd cyffelyb ar yr Iwerydd ym mlynyddoedd cyntaf yr Ail Ryfel Byd, nid oedd yn ddigon pell i osgoi canlyniadau'r gwasgu enbyd oedd ar Brydain. Erbyn diwedd 1939, cymaint oedd llwyddiant cynllun *Obaith* Adolf Hitler fel bod mwy o longau'r Cynghreiriaid yn cael eu suddo nag oedd yn cael eu hadeiladu. Crisialodd Churchill y sefyllfa pan ddywedodd bod angen i 20 o longau, a'r rheini'n cario 120,000 tunnell o fwyd a thanwydd, ddocio ym mhorthladdoedd

Prydain bob dydd er mwyn gwneud dim byd mwy na chyflenwi anghenion bwyd sylfaenol y boblogaeth. Hwn oedd y cyfnod a wnaeth i Churchill ddatgan mai bygythiad yr *Obaith* oedd yr unig beth, yn ystod y rhyfel, a'i brawychodd mewn gwirionedd. Erbyn 1940, roedd y sefyllfa enbyd a datblygiadau'r flwyddyn flaenorol wedi dwysáu gan fod y *Wehrmacht* erbyn hynny wedi goresgyn rhan helaeth o Ffrainc ac wedi meddiannu prif borthladdoedd Bae Viscay, sef St Nazaire, La Brest, Lorient, La Rochelle a Bordeaux. Cyn i'r porthladdoedd hynny ddod i feddiant yr Almaenwyr roedd eu llongau tanfor yn gorfod wynebu taith o oddeutu 450 milltir i fyny trwy Fôr y Gogledd ac o gwmpas arfordir yr Alban i gael mynediad i'r Iwerydd. Trwy fanteisio ar y porthladdoedd Ffrengig, gallai'r llongau tanfor dreulio 10 niwrnod ychwanegol allan yn y môr yn poenydio'r gelyn.

Credai'r Admiral Donitz y gallai, ac y byddai, ei longau tanfor yn gallu torri'r llinyn bogail oedd yn uno'r Unol Daleithiau a Phrydain ac er mwyn gwireddu'r gred honno aeth ati gyda'r sêl a'r effeithlonrwydd oedd mor nodweddiadol o'r Natsïaid, i adeiladu llociau diogel ym mhob un o'r porthladdoedd oedd wedi dod yn eiddo iddyn nhw. Penodwyd gŵr o'r enw Fritz Todl i fod yn gyfrifol am waith prosiect a oedd, yn ôl pob sôn, yn hafal o ran ei faint i'r dasg enfawr o godi Argae Hoover yn Nevada, yn yr Unol Daleithiau. Defnyddiwyd 14 miliwn o droedfeddi ciwbig o goncrit a miliwn tunnell o ddur i'w gwblhau ac am fod y concrit oedd yn eu cysgodi mor drwchus ychydig iawn o ddifrod a wnaed i'r llongau tanfor er i'r Cynghreiriaid fomio'r llociau yn gyson. Mae'n fwy na thebyg, felly, mai olew o'r llongau a aeth yn ysglyfaeth i'r *U-boote* a gysgodai yn y llociau oedd y talpiau duon a olchid i'r lan ar hyd arfordir Cymru am flynyddoedd lawer ar ôl hynny, olew y cefais innau, fel y rhan fwyaf o blant y cyfnod fwy na'm cyfran deg ohono rhwng bodiau fy nhraed pan fyddwn i'n mynd i lan y môr.

Mae'n bosib mai rhyw ramantu gwyrdroëdig ar fy rhan sydd i gyfrif am hynny, ond mae fy niddordeb mewn llongau tanfor wedi para hyd y dydd heddiw. Ac er bod y llongau tanfor a'u criwiau wedi hau gofidiau dirifedi ac wedi bod yn gyfrifol am dynghedu cannoedd o longwyr Prydeinig ac Americanaidd i'w tranc ym moroedd rhew-llyd yr Iwerydd, mae'n anodd i mi ymatal rhag mynegi rhyw gymaint o edmygedd wrth feddwl am ddewrder rhyfeddol y gwirfoddolwyr a hwyliai yn y llongau tanfor gan wybod o'r gorau mai dim ond lleiafrif bach ohonyn nhw fyddai'n goroesi. Ar ben y ffaith ddiymwad honno, roedd yr amgylchiadau a'r amodau byw ar y llongau tanfor yn bur ddifrifol. I gychwyn roedd y llongau'n gyfyng, a'r lleithder oedd yn cronni ar y plisgyn metel o gwmpas y criw yn treiddio i ddillad, i welyau a hyd yn oed i fwyd y dynion. Gan eu bod allan ar y môr am gyfnodau estynedig, weithiau am 100 niwrnod neu ragor, a gan mai cyntefig iawn oedd y cyfleusterau ymolchi oedd ar gael, roedd safonau hylendid yn dirywio wrth i'r fordaith fynd yn ei blaen. Serch hynny, cymaint oedd sêl rhai o'r dynion hyn dros achos y corporal bach o Awstria fel bod sôn am rai ohonyn nhw yn dewis llenwi rhai o danciau dŵr yfed eu llong gyda thanwydd disl er mwyn iddyn nhw fedru teithio ymhellach i chwilio am eu prae!

Er bod dyn yn cael yr argraff mai llonyddwch cymharol y dwfn oedd amgylchedd naturiol y llongau tanfor, mewn gwirionedd roedden nhw'n treulio'r rhan fwyaf o'u hamser ar yr wyneb ac roedd hynny, yng ngaeafau stormus gogledd yr Iwerydd yn sicr o fod yn brofiad anghyfforddus i'w ryfeddu a'r trueiniaid oedd yn gorfod bod ar wats ar y tŵr llywio yn wlyb diferol trwy'r amser, ar waethaf eu dillad oelsgin. Ond mae'n debyg mai'r profiad mwyaf erchyll o'r cwbl oedd bod mewn llong danfor pan fyddai llongau'r gelyn yn gollwng bomiau môr er mwyn ceisio ei dinistrio. Mae'n anodd dychmygu pa mor frawychus oedd y profiad hwnnw, gyda'r ffrwydradau enbyd yn diasbedain, y goleuadau'n diffodd wrth i'r batris gael eu hysgytian, ochrau'r llong danfor yn atseinio a dŵr y môr yn dod i mewn trwy unrhyw fan gwan. Wrth i'r rhyfel fynd rhagddo, cynyddodd colledion yr Almaenwyr wrth i gyfarpar radar a sonar y Llynges Brydeinig ddatblygu. Dim ond 9 llong danfor a gollwyd yn 1939, ond erbyn 1944 roedd y ffigwr hwnnw wedi cynyddu i 250.

Effaith blocâd rhannol lwyddiannus y llongau tanfor a'i gwnaeth yn angenrheidiol i Lywodraeth Churchill sefydlu trefn o ddogni bwyd. Cyhoeddwyd y Llyfr Dogni am y tro cyntaf yn Hydref 1939, ond cymaint oedd grym yr ymgyrch a wnaed gan y *Daily Express* yn erbyn y bwriad i ddogni fel na fu modd ei gwneud yn weithredol tan Ionawr 1940. Pan gafodd hi ei chyflwyno roedd y drefn newydd, haearnaidd, yn cyfyngu pawb i ddeuddeng owns o fara, chwe owns o lysiau, pwys o datws, dwy owns o flawd ceirch ac oddeutu hanner peint o lefrith y dydd, gyda dogn atodol o fymryn o gaws, ffa, cig, pysgod, siwgr, wyau a ffrwythau wedi'u sychu. Bu'n gyfrwng i godi rhastl y boblogaeth gyfan ac er nad dyna oedd ei bwriad bu hefyd yn gyfrifol am greu'r genhedlaeth fwyaf iach yn hanes yr ynysoedd hyn. I ni yn y wlad, doedd pethau ddim llawn mor gaeth gan fod llawer yn llwyddo i ychwanegu at yr hyn oedd yn ddyledus i ni trwy gael wyau, llysiau ac ati gan ffermwyr lleol

Serch hynny, cafodd y drefn ddogni effaith andwyol ar fusnes fy mam a 'nhad. Daeth gorfodaeth o Lundain i gau'r lladd-dŷ ac oherwydd segurdod hwnnw, ychydig iawn o gig ffres a gâi fy nhad i'w werthu. Cadwai'r awdurdodau lygad barcud rhag ofn i unrhyw ladd anghyfreithlon ddigwydd, ond mae'n bur debyg nad i ddibenion diniwed yr âi fy nhad, ambell fin nos ar ryw berwyl oedd yn gofyn am iddo gario llwyth bychan o dwcaod a llifiau dan ei gesail. Ac nid ffuglen, chwaith, oedd y storïau am berfedd yn cael eu taflu, yn blygeiniol, i ddyfnderoedd siafftydd Mynydd Parys pan oedd y plismyn lleol yn dal i aros am ganiad y cloc larwm. I wneud iawn am y diffyg cig ffres byddai llwyth o duniau *corned beef* cwmni *Libby's* neu *Armour*, a chyflenwad bychan o gig wedi'i rewi o Seland Newydd yn cyrraedd y Corwas bob wythnos. Wedyn, y dasg feichus a wynebai fy nhad, druan, oedd sleisio'r cig oedd ym mhob un o'r tuniau gyda thwca, ei bwyso, ei bacio a'i rannu rhwng yr holl gwsmeriaid oedd â hawl i gael eu dogn wythnosol. Sawl gwaith y gwelais i Mam ac yntau yn beichio crïo wrth i'r llafur caled a chymhlethdod y rhannu fynd yn drech na nhw, a swm y cig a dderbyniwyd ganddyn nhw yn annigonol i sicrhau fod pob un o'u cwsmeriaid yn cael eu dogn haeddiannol. Ond erbyn meddwl, hyd yn oed os oedd y sefyllfa'n peri gofid yn y Corwas roedd angen cofio hefyd fod pob un o'r tuniau wedi dod yr holl ffordd ar draws yr Iwerydd a bod y llongau hynny, yn enwedig rhwng 1939 a 1943, wedi bod ymhlith y lleiafrif a fu'n ddigon ffodus i ddod yn ddianaf heibio i'r llongau tanfor.

Hwn, hefyd, oedd y cyfnod pan gâi pawb eu hannog i dyfu eu bwyd eu hunain ac i geisio bod yn hunangynhaliol. Gyda'r ynni oedd mor nodweddiadol ohono aeth fy nhad ati, gyda brwdfrydedd oedd yn destun syndod i Mam a phawb arall yn y teulu i balu'r darn tir oedd rhwng y lladd-dŷ a'r Afon Goch gan gynhyrchu pwysi lawer o datws a llysiau. Wedi i flynyddoedd o waed a biswail cannoedd o anifeiliaid redeg trwyddo, mae'n debyg bod pridd yr hen lain yn ffrwythlon dros ben a bu'r cynhaeaf helaeth a gododd fy nhad ohono yn gaffaeliad i deulu llwglyd oedd yn amlhau mewn nifer.

Yn sgil y dogni a phrinder cig ffres, diwydiant arall a ffynnodd ar Ynys Môn yn ystod y rhyfel oedd y diwydiant dal cwningod. Am fod galw mawr am gig ffres o unrhyw fath yn y trefi, daeth yr ysbryd entrepreneuraidd i'r adwy a sefydlodd rhywun o Lannerch-y-medd fusnes oedd yn casglu cwningod ym Môn a'u cario i Lerpwl a Manceinion. Manteisiodd sawl un o ddynion Amlwch nad oedden nhw wedi gorfod mynd i ffwrdd i'r lluoedd arfog ar hynny gan wneud ceiniog ddigon del wrth fynd allan liw nos i gerdded y caeau a'r cloddiau gyda fflachlamp a rhwydi. Yr hyn a gofiaf yn fwyaf eglur yw gweld y lorïau oedd â channoedd o gwningod marw, yn hongian â'u pennau i lawr yn gorchuddio eu hochrau, a maintioli'r fflachlampau oedd gan y dynion oedd yn cyfrannu at y cynhaeaf hwnnw.

Mewn ymgais i ddynwared y dynion byddai un o fy ffrindiau, Glyn Burwen a minnau yn mynd â'r ddau gi oedd yn eiddo iddo i gerdded y caeau yn ymyl ei gartref i geisio dal cwningen neu ddwy. Pur aflwyddiannus fu'r ymdrechion hynny, ond mae un atgof sydd wedi aros gan fod y profiad wedi gwneud argraff fawr arna'i ar y pryd. Un pnawn yn ystod gwyliau'r ysgol roedd y ddau ohonon ni a'r cŵn yn crwydro'r caeau heb fod ymhell o Borth Llechog pan ddechreuodd y cŵn gynhyrfu'n lân a rhedeg fel pethau gwyllt o gwmpas twmpath o eithin Ffrengig trwchus. Fel arfer, petai rywbeth gwerth ei gael wedi bod yno, byddai'r ddau wedi tyrchu trwy'r drysi i gael gafael arno, ond ar waethaf ein hannog, gwrthodai'r ddau yn lân â mynd ar gyfyl beth bynnag oedd yno. Yn y diwedd, i geisio datrys y dirgelwch, dechreuodd Glyn a minnau symud rhai o frigau'r eithin o'r neilltu a chafodd y ddau ohonon ni ein synnu pan ddaeth achos yr holl gyffro i'n golwg. Yno, yn ei gwâl yng nghanol gwreiddiau twmpath gorweddai ysgyfarnog yn ei gwewyr esgor a phedwar neu bump o'i chywion wedi eu geni eisoes. O rywle, roedd rhyw reddf annisgwyl yn gweithredu fel maen tramgwydd i'r cŵn ac yn eu hatal rhag gwneud yr hyn a fyddai wedi bod yn naturiol iddyn nhw ym mhob amgylchiad arall! Does dim sicrwydd y gellir cyffredinoli ar sail un digwyddiad bach o'r fath, ond yr oedd yn awgrymu nad yw'r cyfan oll o fyd natur yn seiliedig ar greulondeb.

Roedd tad un o fy ffrindiau, Peter Lewis, fel tadau nifer fawr o blant eraill yr ardal, ar y môr. Llyndwr, y tŷ a godwyd gan frodyr Nain Longae, oedd yn sefyll yn ei dir ei hun ar gyrion y dref, oedd cartref Peter ac i mi y peth hynotaf yn ei gylch oedd y ffaith fod Pinwydden Chile [*Araucaria araucana*] fawr, sef coeden *Monkey Puzzle* yn tyfu yn ei ardd. Roedd honno yn destun syndod i mi a phawb o fy ffrindiau a threuliem hydoedd yn ceisio dyfalu sut y gallai unrhyw fwnci ddatrys y problemau y byddai'n eu hwynebu wrth geisio ei dringo gan fod ei dail, sy'n tyfu'n agos iawn at ei chyff, fel petaent wedi eu llunio o ledr pigog. Aeth un o fodrybedd Peter ati yn y diwedd i geisio datrys ein penbleth gan chwilota mewn llyfrau, a'n hargyhoeddi a'n siomi trwy ddatgan nad ar gyfer achosi dryswch i fwncïod yr esblygodd yr *Araucaria araucana* fel y gwnaeth hi. Yn ôl y ddamcaniaeth honno roedd yn ymddangos ei bod hi'n tyfu gryn 120 o filiynau o flynyddoedd cyn i'r mwncïod cyntaf ddatblygu, ac mai i ddiben diogelu ei hun rhag cegau'r dinosoriaid y magodd hi'r nodweddion pigog oedd yn perthyn iddi! Erbyn hyn, mae'n drist adrodd, mae lle i amau dilysrwydd y ddamcaniaeth honno, hyd yn oed.

Roedd dwy o fodrybedd Peter yn athrawon yn yr ysgol gynradd ac yn byw gyda'i fam yng nghartref y teulu a phan fyddwn i'n mynd yno i chwarae un o'r pleserau mawr oedd cael ymuno â nhw i gael te. Yn wahanol iawn i'r Corwas, lle roedd y trefniadau bwyta yn eithaf gwerinol, roedd tipyn o steil yn Llyndwr, gyda lliain gwyn ar y bwrdd a llestri tsiena o'n blaenau a'r bara wedi ei sleisio'n denau, denau. I mi, y ffordd arferol o fwyta oedd cnoi tamaid o frechdan neu deisen ac yna llyncu ychydig o de i hwyluso'r cnoi, ond unwaith wrth i mi eistedd wrth y bwrdd yn Llyndwr, a sylwi bod yr oedolion yn codi eu haeliau wrth i mi wneud hynny, dois i ddeall bod ffordd wahanol os nad amgen o fwyta! Peth arall a gofiaf am Llyndwr yw'r ffaith fod yno gyflenwad o ffrwythau tun bob amser. Ar y pryd, pan nad oeddwn i'n gweld ffrwythau tun o ben un flwyddyn i'r llall, roedd cael platiad o ellyg neu afalau gwlanog o dun yn fwy na gwneud iawn am waradwydd y llowcio te. Gwyddwn nad oedd byw gyda'ch tad i ffwrdd ar y môr yn fêl i gyd, ond roedd y ffrwythau tun yn fantais nad oedd modd ei dibrisio. Yn sicr roedd cynnwys y tuniau hynny y deuai tad Peter gyda nhw o rywle yn well o beth myrdd na *corned beef* di-ddiwedd a ddeuai i siop y Corwas.

Ar wahân i'r cyffro achlysurol y soniwyd amdano, i mi, blynyddoedd cymharol dawel oedd blynyddoedd y rhyfel. Dyma gyfnod cario masgiau nwy i'r ysgol, cyfnod gorfod llyncu sudd oren oedd heb siwgr ar ei gyfyl ac olew iau penfreision wrth y galwyn. Cyfnod oedd o pan nad oedd 'pethau da' na theganau o unrhyw fath i'w cael am bris yn y byd a chyfnod pan oedd rhaid i ni, weithiau, gael rhywbeth erchyll o'r enw menyn pot ar ein brechdan. Menyn oedd hwnnw, yn ôl a ddeallwn, oedd wedi cael ei gadw mewn llestr pridd am gyfnod maith cyn iddo gael ei ddefnyddio. Er mwyn ei gadw rhag mynd yn ddrwg, roedd swm sylweddol iawn o halen yn cael ei ychwanegu ato gan roi iddo'r blas mwyaf ffiaidd ar wyneb y ddaear.

Golygai'r prinder defnyddiau crai o bob math a'r drefn ddogni fod pob dim a wisgen ni am ein traed a'n cyrff yn gorfod gwneud ein tro am gyfnodau maith. Fel plentyn roeddwn i yn dal ac yn fain, ac am fy 'mod i'n tyfu'n gyflym roedd y dogni oedd ar ddillad yn achosi problemau gwirioneddol i Mam gan nad oedd fy nillad yn tyfu ar yr un pryd. Doedd y fath beth â ffasiwn ddim yn bod a'r unig esgidiau oedd ar gael oedd esgidiau mawr, sef rhai oedd yn dod dros y fferau. I arbed y gwadnau rhag treulio, roedd casgliad o hoelion a chlemiau yn cael eu gosod arnyn nhw, a ninnau'r bechgyn yn ymhyfrydu yn nifer y gwreichion a fyddai'n codi ohonyn nhw wrth i ni gicio cerrig ar y ffordd adref o'r *Band of Hope* yn y gaeaf. Un gaeaf, wedi i un pâr o sgidiau mawr ddechrau gwasgu am fod fy nhraed yn tyfu, cafodd Daid Llan ryw chwiw yn ei ben ynghylch clocsiau. Ar waethaf protestiadau fy mam cefais fy helgud ganddo i Ben-y-sarn i gael fy mesur gan glocsiwr y pentref. Ond mewn ychydig ddyddiau, gan nad oedd fy mam na minnau yn or-hapus gyda'r syniad y byddwn i'n mynd i'r ysgol mewn clocsiau llwyddwyd i gyfaddawdu a darbwyllo Daid Llan mai dim ond i fynd i chwarae y byddwn i'n eu gwisgo.

Rywbryd tua diwedd fy nghyfnod yn yr ysgol gynradd y dechreuais i ddarllen Saesneg o ddifrif. Unwaith y cefais i flas arnyn nhw doedd dim digon o lyfrau wedi'u creu i ddiwallu fy anghenion a byddwn yn darllen gweithiau awduron fel Henty, W E Johns a Rider Haggard gydag awch, gan ddal fy ngafael yn dynn wrth y stori hyd yn oed pan oedd yr iaith yn bygwth bod yn drech na mi. Er bod 95% o'r plant oedd yn eu darllen, a minnau yn eu plith, yn mynychu ysgolion y wladwriaeth rhagdybiai llawer o'r hyn a ddarllenwn mai byd yr ysgolion bonedd oedd y byd normal. O bersbectif heddiw, agweddau gwrthnysig, hiliol a senoffobig oedd yr agweddau a arddelid gan eu hawduron. Ynddyn nhw roedd pob tramorwr yn amheus, a meddylfryd yr Ymerodraeth Brydeinig oedd yn eu britho, eu cloc wedi stopio yn 1910 a'u safbwynt yn seiliedig ar y gred ddiysgog bod Britannia'n parhau i reoli'r tonnau. Heddiw dim ond adran plant y *Daily Mail* neu'r *Daily Telegraph* a fyddai'n meiddio cyhoeddi'r fath sothach.

Daeth tro ar fyd yn fy hanes fel darllenwr pan ddechreuais i ddarllen y comics *Adventure, Rover, Hotspur* a *Wizard*, a throi fy nghefn, i raddau helaeth iawn, ar Biggles a'i gyfeillion. Roedd y rhain yn llawn o hyn a ystyriwn i yn ddanteithion amheuthun o bob math. Hon oedd yr oes pan oedd y gair yn parhau i fod yn bwysicach na lluniau a doedd y ffaith fod pob un o'r comics yn cynnwys slabiau helaeth o destun a dim ond un neu ddau o luniau yn mennu dim ar fy mwynhad. Byddwn yn disgwyl yn awchus am fy nogn wythnosol ac yn llarpio'r storïau un ac oll. Storïau cyfres oedd yn mynd a mynd a mynd oedd llawer o'u cynnwys a'r cymeriadau oedd yn britho eu tudalennau yn greaduriaid digon garw a gwerinol ac yn rhai gwahanol iawn i etifeddion breintiau dosbarth canol Lloegr. Un cymeriad nodedig a wnaeth argraff arna'i oedd Wilson, yr athletwr rhyfeddol oedd yn byw mewn fel meudwy mewn ogof ar ucheldir Swydd Efrog. Gallai gyflawni campau rhyfeddol ym myd y campau ac roedd ganddo gyfansoddiad mor wydn fel nad oedd gwres nac oerni eithafol yn amharu dim ar ei berfformiad. Un arall oedd y peilot Sergeant Braddock, gŵr yr oedd ei ddoniau wrth lyw awyren yn caniatáu iddo wfftio swyddogion a phobl oedd mewn awdurdod drosto. Rhag ofn i mi gael fy meddiannu'n ormodol gan y comics mynnai fy mam brynu'r *Children's Newspaper* bob wythnos ac er na wyddai hi hynny ar y pryd, mae'n bur debyg mai'r arferiad o ddarllen y cyhoeddiad syber a gweddus, oedd mor wahanol i'r comics, a'm gwnaeth yn jynci papurau newydd. Erbyn hyn does dim un diwrnod yn fy hanes yn gyflawn heb i mi gael fy ffics o inc ar flaenau fy mysedd.

AMLWCH COUNTY SCHOOL

Er bod Cyngres yr Undebau Llafur wedi bod yn galw ers 1900 [sef cyfnod Rhyfel y Boer!] am i addysg gael ei darparu i bobl ifanc hyd at 15 oed, bu raid aros tan 1944 cyn y gwelwyd hynny'n cael ei wireddu. Deddf Addysg Rab Butler yn 1944 roddodd ddeddf o'r fath ar y llyfr statud a'r ddeddf honno, wedi iddi fynd yn ei thro trwy Senedd Llundain, roddodd fod i'r *County School* a sefydlwyd ar frys yn ein tref ni yn y flwyddyn ganlynol. Gan nad oedd adeilad addas ar gael, penderfynwyd ei hagor yn Neuadd Goffa'r dref, gan sicrhau, am y tro cyntaf yn hanes y dref, na fyddai angen i'w phlant deithio ar y trên i Langefni i dderbyn addysg uwchradd. Wrth edrych yn ôl, mae rhywun yn rhyfeddu am mai yn Neuadd Goffa digon anaddas y dref, ac nid mewn adeilad ysgol, y treuliais i'r rhan fwyaf o fy mlynyddoedd fel disgybl uwchradd. Roedd hynny ar sail y ffaith fod hidl ddidrugaredd yr Arholiad 11 wedi fy rhoi, er gwell neu er gwaeth, ymhlith yr etholedigion.

Er bod mwyafrif helaeth ei staff yn Gymry Cymraeg a'i disgyblion bron i gyd yn Gymry Cymraeg, fel yr awgryma ei henw, plentyn ei hoes oedd *Amlwch County School* ac ethos ieithyddol digon glastwraidd oedd yr un a sefydlwyd ynddi. Yn hynny o beth roedd hi'n adlewyrchiad perffaith o'r sgitsoffrenia ieithyddol a oedd yn ffrwtian dan wyneb

Cymreictod allanol y dref. Roedd hi hefyd, mae'n debyg, yn adlewyrchu'r meddylfryd oedd mor gyffredin ym Môn y cyfnod hwnnw, sef yr un a honnai nad oedd y Gymraeg o unrhyw werth unwaith yr eid dros Bont y Borth. Roedd nifer o'r staff yn barod iawn i ddefnyddio'r Gymraeg i hyrwyddo'r dysgu yn eu pwnc, ond yr argraff sy'n aros gyda mi yw mai lleiafrif ohonyn nhw a wnâi hynny a bod y rheini, ar un ystyr, yn nofio yn erbyn llif anorfod meddylfryd cyfundrefn oedd yn ceisio bod yn efelychiad o'r hyn a geid yn ysgolion gramadeg Lloegr. Serch hynny roedd amryw o'r aelodau staff â chryn sêl dros y Gymraeg a Chymreictod. I'r rheini mae arna'i ddyled am drefnu i fynd â rhai ohonon ni i wersylloedd yr Urdd yng Nghricieth a Llangrannog ac i ben Yr Wyddfa a thrwy hynny ddechrau hau'r syniad yn ein pennau ni, greaduriaid bach ynysig ag oedden ni, bod Cymru yn ymestyn tu hwnt i lethrau Mynydd Parys a Mynydd Eilian a bod iddi hi ei pheuoedd, yn ogystal, yr ochr arall i'r Fenai.

Caradog Evans oedd enw'r Prifathro, gŵr arall yr oeddwn i ei ofn am fy mywyd. Brodor o Fryngwran oedd Mr Evans ac un o'r pethau mwyaf trawiadol ynghylch ei bryd a'i wedd oedd y ffaith mai rhywbeth yn perthyn i rywbryd yn ei orffennol oedd gwallt. Oherwydd hynny fel 'Corun' y byddai pawb ohonon ni yn cyfeirio ato. Gwyddoniaeth oedd ei bwnc a'r labordy lle byddai'n ceisio cyflwyno dirgelion y pwnc hwnnw i ni wedi ei leoli mewn honglad o hen ystafell fawr yng ngwaelod iard y Neuadd. Weithiau byddai twpdra trueiniaid anwyddonol fel fi yn ei gynddeiriogi'n lân a rhoddai fynegiant i'w ddicter a'i rwystredigaeth trwy ddyrnu'r bwrdd du a bloeddio nerth ei ben. Yn aml iawn byddai hynny'n ddigon i wneud i'r plaster bregus oedd ar y wal uwchlaw ollwng ei afael a dod i lawr yn gawodydd llychlyd am ei ben moel a'i ŵn du. I mi, roedd hi'n haws cofio manylion digwyddiadau felly na chofio fformwlâu dyrys ac enwau cemegau dirdynnol o anniddorol.

Am gyfnod bu gwraig Mr Evans yn dysgu cerddoriaeth i ni. Yn y neuadd ganolog y digwyddai hynny, gyda Mrs Evans yn sefyll ar y llwyfan i arwain y gân. Nid oedd rhyw lawer o groeso yn ein plith ni'r bechgyn i ddysgu canu caneuon fel *'There was a lover and his lass . . .* ac roedd cytgan honno, sef . . . *'with a hey and a ho and a hei-no-ni no'* yn destun difyrrwch diddiwedd i ni. Pan fyddai pethau'n mynd dros ben llestri yn wirioneddol, byddai drws swyddfa'r Prifathro, gen ochr y llwyfan, yn agor yn sydyn, disgyblaeth yn cael ei hadfer a'r *no-ni-noio* yn mynd rhagddo gydag arddeliad a brwdfrydedd afieithus nes y byddai wedi troi ei gefn.

Ym mhresenoldeb Mr Evans y daeth un o brofiadau mwyaf chwithig fy ngyrfa addysgol i'm rhan. Roedd hi'n arferol i'r ysgol ymgynnull ar gyfer y gwasanaeth boreol, ac i'r disgyblion, yn eu tro, gyflwyno darlleniad. Codai hynny arswyd arna'i ond yn y diwedd doedd dim osgoi i fod a daeth fy nhro innau i sefyll ar y llwyfan i ddarllen rhyw ddarn o'r Beibl. Roeddwn i'n crynu fel y ddeilen adnabyddus honno, ond ar ôl ychydig frawddegau aeth pethau'n drech na mi a dechreuais lyncu fy mhoer mewn ymdrech aflwyddiannus i gael geiriau o fy ngenau. Doedd presenoldeb Mr Evans, a safai yn fy ymyl, yn cyfrannu'r un iod at fy hyder. Yn y tawelwch enbyd aeth rhyw don o anniddigrwydd drwy'r gynulleidfa o fy mlaen gan wneud i mi deimlo'n saith gwaeth. Yn y diwedd Mr Evans ei hun a orffennodd y darlleniad, a minnau'n sefyll yn ei ymyl yn llywaeth crynedig ac yn fethiant llwyr. Cafodd y profiad hwnnw effaith andwyol arna'i a hyd y dydd heddiw mae siarad yn gyhoeddus yn gallu bod yn brofiad dirdynnol o anodd i mi.

Ond â bod yn deg, tu allan i oriau ysgol, roedd Mr Evans

yn mynd trwy byrth gweddnewidiad o ryw fath, a byddwn innau'n gallu closio'n sylweddol ato pan fyddai'n mynd â rhai ohonon ni ar ryw berwyl neu'i gilydd, i chwarae criced mae'n debyg, yn ei *Riley Kestrel.* Prif rinwedd y *Riley* oedd y ffaith fod iddo gerbocs unigryw, sef un oedd yn caniatáu i chi ddewis y gêr nesaf heb ddibynnu ar y clyts. Roedd y ffaith ei fod yn gwneud rhyw sŵn hyfryd pan oeddech chi'n symud y lifar bychan oedd ar golofn y llyw yn apelio'n fawr ataf.

Yr hawddgar ac annwyl W D Owen oedd yr athro mathemateg, athro yr oedd ganddo gydymdeimlad gyda'r lleiaf mathemategol ohonon ni ac un a ddefnyddiai gyffelybiaethau o fyd amaethyddiaeth i esbonio dirgelion hafaliadau a phethau cyfareddol ac apelgar o'r fath. Yn ôl yr hanes yr oedd 'WO' wedi bod trwy brofiadau erchyll y Rhyfel Byd Cyntaf, wedi cael ei wenwyno gan nwy'r Almaenwyr a hynny wedi cael effaith andwyol ar ei iechyd. Roedd ein parch ni tuag ato yn golygu na fu raid iddo, erioed, godi ei lais er mwyn cadw trefn arnon ni.

Un arall o wir gymeriadau staff yr ysgol oedd Mrs Agnes Arthur Jones a fu'n dysgu hanes i ni am gyfnod. Daeth i fyw i'r dref pan orfodwyd ei gŵr i gefnu ar y Weinidogaeth ym Methesda oherwydd anghydfod a fu rhyngddo a blaenoriaid ei eglwys. Asgwrn y gynnen oedd y faciwîs a ddaeth yn un fflyd o Lerpwl i geisio lloches yn y pentref a'r ffaith fod y blaenoriaid wedi gwrthod rhoi lle i'r plant aros yn ysgoldy'r capel. Cofnodwyd safiad dewr y gweinidog a cheir teyrnged i'w unplygrwydd yn y gerdd 'Gwrthodedigion' gan R Williams Parry. Gan mai Saunders Lewis a George M Ll Davies oedd y ddau berson arall y cyfeiriodd y bardd atyn nhw mae'n rhaid bod gan Fardd yr Haf feddwl pur uchel o Thomas Arthur Jones.

Y Cyn-Weinidog:

Yr olaf ydyw'r diwyd fugail hwn
Na fedd un ddafad yn y cread crwn
Oherwydd bod ei gariad at ryw blant
Yn fwy nag at y seiat ac at sant!

Roedd Agnes Arthur Jones yn Gymraes dwymgalon ac yn benderfynol o roi i ni afael ar ein hetifeddiaeth fel Monwysion ac fel Cymry. Trwyddi hi y dois i i wybod am Forusiaid Môn, am Bentre Eiriannell ac am Goronwy Owen ac rydw i'n weddol sicr nad oes dim un ohonon ni a fu yn nosbarth Mrs Jones wedi anghofio'r talpiau o weithiau'r Bardd o Fôn y gwnaeth i ni eu dysgu ar ein cof.

ADDYSG AMGEN

Ond fel i fwyafrif plant Cymru fy nghyfnod, roedd cyfundrefn addysg arall, oedd yn bodoli ochr yn ochr â'r un a geid yn yr ysgol ddyddiol, nad oedd ganddi unrhyw amheuon ynghylch cyfrwng ei dysgu, ac o'r herwydd yn un oedd yn cynnig addysg amgen, os nad amgenach i mi a phob plentyn arall oedd yn dod o dan ei dylanwad. Rhwng yr oedfaon ar y Sul, y *Band of Hope* a sawl cyfarfod arall, mae'n debyg fy mod i wedi treulio talp eithaf helaeth o fy mhlentyndod ym mhresenoldeb yr addysg honno. Yn y Capel Mawr a'i ysgoldy cawn fy amgylchynu gyda chysyniadau ac iaith oedd ymhell iawn tu hwnt i'm dealltwriaeth a chael fy rhoi mewn sefyllfaoedd lle roeddwn i ym mhresenoldeb pobl yr oedd eu hymwneud â'i gilydd ar lefel oedd yn estynedig ac eithaf dyrys. Yn ogystal, cefais fy nhrwytho mewn storïau dirifedi.

Am flynyddoedd lawer, wrth geisio dod i delerau â'r cysyniadau enbyd o anodd oedd yn fy amgylchynu, roeddwn i'n rhoi fy nehongliad personol ar bopeth, ac yn cyplysu'r haniaethol, y dieithr a'r anghyfarwydd gyda'r pethau diriaethol oedd yn llenwi agweddau eraill fy mywyd. Bu'r rhyfel, a'r sôn parhaus am y brwydrau, y colledion a'r profedigaethau oedd yn rhan ohono yn foddion i blannu rhyw bryder anaele yn fy meddwl, a'm hiraeth am fy nau ewythr a John Jones Penterfyn a Hugh *Ivy House* yn fy meddwl yn gyson. Credwn yn ddiysgog mai atyn nhw yn benodol y cyfeiriai'r geiriau:

Bydd canu yn y nefoedd,
Pan ddêl y plant ynghyd,
Y rhai fu oddi cartref
O dŷ eu Tad cyhyd;
Dechreuir y gynghanedd,
Ac ni bydd wylo mwy,
Ond Duw a sych bob deigryn
Oddi wrth eu llygaid hwy

a phan fyddai hwnnw'n cael ei ledio byddwn yn ei ganu gyda hynny o arddeliad oedd ar fy elw.

Digwyddiadau cymdeithasol, yng ngwir ystyr y gair hwnnw, oedd y gwasanaethau mynych yr oeddwn i'n bresennol ynddyn nhw, a rhyw dynfa anorfod ynddyn nhw a wnâi i mi gyfranogi ar ryw lefel, hyd yn oed os oedd hynny ar fy ngwaethaf. Dros y blynyddoedd, daeth talpiau helaeth o ryddiaith ysblennydd y Beibl, heb i mi wneud unrhyw ymdrech ymwybodol i'w caffael, yn gynyddol gyfarwydd i mi, ac ar bob gwrandawiad, mae'n debyg, roedd rhyw damaid bach arall ohonyn nhw yn cael ei ychwanegu at yr hyn a wyddwn eisoes. Heddiw does angen fawr mwy na gair neu ddau o'r darnau hynny i'w dwyn yn ôl yn eu cyfanrwydd.

Am ryw reswm sy'n dywyll i mi, roedd rhyw gyfaredd a rhin annirnadwy yn yr iaith a glywn ac a ddarllenwn yn y capel, a dirgelwch y cystrawennau dyrys oedd mewn ymadroddion fel *'Gadewch i blant bychain ddyfod ataf fi, ac na waherddwch iddynt canys eiddo y cyfryw rai yw teyrnas nefoedd'* yn meddu ar ryw apêl a dirgelwch na allaf eu llawn ddeall hyd yn oed yn fy henoed. Doeddwn i ddim yn gwerthfawrogi hynny ar y pryd, ond yr hyn oedd yn digwydd oedd fy mod i, wrth orfod gwrando am oriau lawer ar bregethau a darlleniadau, yn cael fy rhoi ym mhresenoldeb gwedd lafar rhyddiaith y Gymraeg yn ei diwyg mwyaf ffurfiol a safonol a honno'n cael ei llefaru gan ddynion oedd yn rhoi urddas a pharch iddi. Heddiw, mewn munudau o dawelwch, o unigrwydd neu ddiflastod, mae'r holl gynhysgaeth honno a dderbyniais yn ffynnon y gallaf godi ohoni yn ôl fy mympwy. Mae'r geiriau cyfarwydd hynny, geiriau na fyddwn i wedi dod ar eu traws yn unman arall, yn parhau i fod yn rhan annatod o fy nghyfansoddiad, yn gyd-fforddolion, megis, ar fy nhaith trwy fywyd ac yn gwmni cynnes ac yn gysur bob amser wrth i'm meddwl droedio ar hyd eu cwysi cyfarwydd. Ac fel llaweroedd o Gymry eraill a gafodd yr un fath o fagwraeth, mae rhai geiriau ac ymadroddion na allaf fyth eu clywed heb iddyn nhw danio rhyw rwydweithiau o gysylltiadau yn fy nghof. Mae'n amhosibl, er enghraifft, i mi glywed cyfeiriad at 'aderyn to' heb i hynny dynnu '. . . aderyn y to hefyd a gafodd dŷ, a'r wennol nyth iddi, lle y gesyd ei chywion' o rywle. Mae'r gair 'mynyddoedd' yn anochel ddod â 'Dyrchafaf' yn ei sgil, 'niwed' yn codi '. . . glyn cysgod angau' a 'bugail' yn mynd â fi, ar fy union, i'r drydedd salm ar hugain.

Mae'r bardd Saesneg, Ted Hughes, mewn erthygl enwog dan y teitl 'Myth and Education' wedi dwyn ei sylw at yr union ffenomen hon ac ynddi yn cyfeirio at y modd y gall un gair fywhau cylchedau trydan yn ein meddyliau.

> Fel enghraifft braidd yn eithafol, gadewch i ni ystyried stori Crist. Waeth pa ran o'r stori a ddewiswn, y mae hi'n ein hergydio yn ei chyfanrwydd. Os gwnawn ni sôn am enedigaeth Crist, am wyrth y bara a'r pysgod, am Lasarus neu am y Croeshoeliad, mae holl foltedd a llewyrch mewnol y stori yno o'n blaenau. Mae un gair neu un cyfeiriad yn ddigon, yn union fel y mae cyffwrdd gwifren bŵer gydag un bys yn ddigon i chi ei deimlo.

Ar ben hynny, ac yn ychwanegol at y rhyddiaith honno, roedd golud cyfareddol a digymar yr emynau a'r tonau mawreddog a gafodd eu gwau o'u cwmpas yn graddol ddod yn rhan ohono'i, a'r rheini, fel y darnau o'r Ysgrythurau yn ymgasglu yn fy nghof ac yn gwneud eu gwâl yno. O'n blaenau yn y Capel Mawr, eisteddai gŵr a adwaenen i fel Mr Thomas, Cilan. Yr hyn a'm cyfareddai ynghylch Mr Thomas oedd y ffaith na fyddai byth yn agor ei lyfr emynau, ond serch hynny yn ei ddal yn ei law wrth ganu. I ddechrau roeddwn i'n meddwl nad oedd yn gallu darllen, ond gan ei fod yn cymryd rhan yn yr oedfaon o bryd i'w gilydd ac yn darllen ar goedd, gwyddwn nad oedd hynny'n wir. Wrth syllu'n ofalus arno sylweddolais mai'r gwir reswm dros beidio agor ei lyfr oedd y ffaith ei fod yn gwybod geiriau'r holl emynau ar ei gof! Bu hynny'n symbyliad ac yn her i minnau ac yn ddistaw bach, heb ddweud wrth neb, byddwn innau'n ceisio canu heb edrych ar y llyfr! Dros y blynyddoedd daeth geiriau rhai degau o emynau yn eiddo i mi.

Hyd y gallaf farnu, o geisio edrych yn ôl o bersbectif oedolyn, roedd dwy agwedd i grefydd yr oeddwn i, fel plentyn, yn ymwybodol ohonyn nhw. Y gyntaf o'r rheini oedd yr un oedd yn ymwneud â byd yr emosiynau. Geiriau fel 'aberth' a 'dioddefaint' a 'trugaredd' oedd ei ddeunydd crai ac wrth i ystyr y rheini gadeirio a chael lle yn fy meddwl roedd eu grym yn tyfu ac yn gafael. Ac ymhell cyn i mi ddod yn gyflawn aelod a chyn i mi allu cyfranogi ynddo, o'r holl ddefodau a wnaeth argraff arna'i, mae'n debyg mai'r Cymun, a'r dirgelwch annirnad oedd yn gysylltiedig ag o, oedd yr un mwyaf arwyddocaol. Er mai digon syml a phlaen oedd y ddefod honno ar un ystyr, roedd yr effaith a gâi arna'i yn drawiadol, a'r emosiynau a greai ynddo'i yn drydanol. Heddiw, pryd bynnag y gwelaf unrhyw lun neu ddelwedd neu pan glywaf unrhyw air sy'n gysylltiedig â'r Cymun, caf fy nwyn yn ôl ar fy union i'r Capel Mawr ac i'r sedd lle byddai fy nhad a mam a ninnau'r plant yn eistedd. Yna daw wyneb y Gweinidog, Y Parch D Cwyfan Hughes i'r golwg, ynghyd â geiriau'r emynau yr wyf yn eu cyplysu gyda Swper yr Arglwydd i lenwi fy mhen. *'Golchwyd Magdalen yn ddisglair, A Mannase ddu yn wyn . . ., Y Gŵr a fu gynt o dan hoelion, Dros ddyn pechadurus fel fi . . ., Yn Eden cofiaf hynny byth, Bendithion gollais rif y gwlith . . .,* a *Mae'r gwaed a redodd ar y Groes O oes i oes i'w gofio . . .'*

Wedyn roedd yr emynau a gyfeiriai at y môr yn meddu ar eu cyfaredd unigryw eu hunain, ac yn cael eu cyplysu yn fy meddwl gyda'r môr a'r creigiau y gwyddwn i amdanyn nhw *'Dyma gariad fel y moroedd, Tosturiaethau fel y lli . . .'* A fyddai wiw i mi glywed y geiriau *'Craig yr Oesoedd'* heb i ddelwedd Craig Bob Morgan ddod o rywle i lenwi fy mhen.

Yr elfen arall oedd yn amlwg i mi oedd yr un yn ymwneud â'r berthynas oedd rhwng y capel a'r gymdeithas a'i hamgylchynai yn ogystal â'r un oedd rhyngddo a'r gymdeithas yn y byd ehangach, tu hwnt i ffiniau Cymru. Fel plentyn roeddwn i'n gweld rhyw ramant yn perthyn i'r genhadaeth dramor ac i'r syniad bod y capel yn gwasanaethu pobl mewn gwledydd pell, pobl na wyddwn i'r nesaf peth i ddim amdanyn nhw. Roedd isleisiau *'Draw draw yn China . . .'* yn y cefndir yn rhywle ac o'r lluniau a ddangosid i ni yn yr Ysgol Sul y daethai llawer o'r delweddau a'r syniadau oedd gen i am hynny. Ond yn bwysicach o lawer, roeddwn i'n ymwybodol iawn o'r modd yr oedd pobl y capel yn cynnig swcwr, cefnogaeth a chydymdeimlad i'w gilydd ar adegau o loes a chyni ac yn sylweddoli i ba raddau yr oedd teyrngarwch rhyfeddol rhai o'r bobl yr oeddwn i'n eu hadnabod i'w cred yn cael ei adlewyrchu yn eu bywydau a'u gweithredoedd. Tu cefn i hynny i gyd, roeddwn i'n dechrau dod i ddeall beth oedd grym y ffydd ddiysgog oedd gan rai yn y posibilrwydd y gallai pobl a chymdeithas ddatblygu a gwella a symud tuag at gyflwr mwy perffaith a chyfiawn.

Ond yn ogystal â'r capel a'r Ysgol Sul, roedd dimensiwn arall i'm haddysg a honno'n un nad oedd gan neb fawr o reolaeth arni. Sail honno oedd hyd a lled rhyfeddol y rhyddid a gaen ni, blant y cyfnod hwnnw. Fel yr adar gwylltion hynny yn yr hen bennill, roedden ni i bob pwrpas yn cael mynd i'r man y mynnon, ac er nad oedd Mynydd Parys yn lle i fentro iddo roedd digonedd o fannau a llawer o bethau eraill i ddenu plant anturus a chwilfrydig. Weithiau, y Rhos, neu 'Gwaith Hills', fel y bydden ni'n cyfeirio ato oedd yn mynd â'n bryd. Yr 'Hills' dan sylw oedd C H Hills, gŵr a ddaeth i Amlwch i gychwyn gwaith cynhyrchu gwrteithiau gan ddefnyddio'r cyflenwad o swlffwr oedd ar gael o Fynydd Parys fel defnydd crai. Erbyn hyn mae stad tai Craig y Don wedi ei chodi ar ddarn o'r tir dan sylw, ond yn ystod fy mhlentyndod roedd gwastraff a gafodd ei waredu o ffatri Hills ac o'r ffwrneisi mwyndoddi a fu yno wedi cael ei wasgaru'n aflêr dros wyneb y rhostir a nifer o lynnoedd bychan wedi cronni yn ei bantiau. Edrychai'n union fel tirwedd folcanaidd rhai o'r Ynysoedd Dedwydd. I ychwanegu at yr aflerwch câi'r tir ei ddefnyddio gan rai i ddiben cael gwared ar wastraff domestig o bob math. Yr hyn a'n hudai ni'r plant yno oedd yr hyn y cyfeirien ni atyn nhw fel 'galapywyrion' – ein term ni'r plant am fath o fadfall y dŵr. Ein gêm oedd cael gafael ar hen duniau *'pilchards'* hirgrwn, codi caeadau'r rheini i ffurfio hwyl, rhoi dau neu dri o'r creaduriaid ym mhob un a chynnal regata galapywyrion.

Pen y Bonc a Phen y Bryn, y ddwy gefnen a wahanai'r dref oddi wrth y môr oedd ein dau gynefin arall. Yno y bydden ni'n adeiladu ein ffeuau, yn rhedeg yn wyllt yn yr

eithin a'r rhedyn, yn cynnau tân baw gwartheg er mwyn medru crasu tatws trwy eu crwyn ynddo, yn gwneud sigaréts gyda phapur newydd a rhedyn crin, ac yn creu defodau digon ciaidd ar gyfer newydd-ddyfodiaid dychmygol oedd eisiau ymuno â rhyw giang yr oedden ni'n perthyn iddi ar y pryd.

Yn ystod gwyliau'r haf byddai bachgen o'r enw Bruno, oedd yn perthyn i deulu Figoni, yn dod i aros gyda nhw am rai wythnosau. Dros y blynyddoedd daeth Bruno a minnau yn dipyn o ffrindiau er bod ein cefndir yn dra gwahanol. Er mai rhywle yng nghymoedd y De yr oedd ei gartref, roedd y Gymraeg yn ddirgelwch llwyr i Bruno, ac er nad oedd cwmpas Saesneg ei ewythr yn eang iawn, honno, ac nid yr Eidaleg oedd cyfrwng eu cyfathrebu. Yn fy nhro roeddwn innau yn rhyfeddu at yr hyn a ystyriwn yn odrwydd ei acen Saesneg. Gyda Bruno a bachgen arall o'r enw Peter Matthews y dechreuais i siarad Saesneg yn iawn am y tro cyntaf. Mab i aelod o'r Llu Awyr oedd Peter a wnes i erioed ddeall pam yn union y daeth ei fam ac yntau i fyw yn *Parys Lodge*, heb fod ymhell o gefn y Corwas. Apêl fwyaf Peter Matthews oedd y ffaith fod ganddo fat criced go iawn, yr un cyntaf i mi afael ynddo erioed. Ei broblem fawr oedd ei fam gan ei bod hi'n dipyn o fadam ac yn mynnu ein bod ni'n mynd yr holl ffordd yn ôl i Ben y Bryn i ail-chwilio pan fyddai ei bêl wedi mynd ar goll yn yr eithin.

Dim ond unwaith, os nad yw fy ngof yn fy nghamarwain, yr arweiniodd y rhyddid gormodol a gawn at sefyllfa a'm rhoddodd mewn perygl gwirioneddol. Mae'n debyg 'mod i'n naw neu'n ddeg oed ar y pryd. Un gyda'r nos, yn yr hydref, a chyn troi'r awr, roedd fy ffrind, Gwilym Hughes, a minnau, wedi crwydro i lan y môr. Yn ystod blynyddoedd y rhyfel, gyda chynifer o longau yn cael eu suddo, roedd y môr yn frith o froc o bob math, a digonedd o bethau diddorol y gallen eu casglu yn cael eu golchi i'r lan. Roedd hi'n ddigon stormus y noson honno, a chan ei bod hi'n ben llanw roedd y gwynt yn chwythu tonnau eithaf sylweddol dros y creigiau, a'r ddau ohonon ni am y gorau yn ceisio gweld os oedd rhywbeth gwerth ei gael yn cael ei olchi i'r lan. Er nad oedd yr un ohonon ni yn gallu nofio'n iawn, doedd hynny'n mennu dim, ond pan geisiais i wyro dros ymyl craig i gyrraedd rhyw ddarn o bren, collais fy ngafael a llithrais ar y gwymon ac i lawr, dros fy mhen, i'r môr. Cipiodd y dŵr oer fy anadl gan lenwi fy llygaid a'm clustiau. Annelwig yw'r cof am yr hyn ddigwyddodd wedyn. Yn fy nychryn, llyncais bentwr o ddŵr heli ac er i mi gicio, chwifio fy mreichiau a gweiddi nerth fy mhen, roeddwn i ymhell o fy nyfnder, y tonnau'n bygwth fy ngolchi ymhellach oddi wrth y graig a'r dychryn oedd wedi fy meddiannu yn cynyddu wrth yr eiliad. 'Dwn i ddim hyd heddiw o le yn union y daeth gwaredigaeth, yr unig beth sy'n eglur yn fy nghof yw bod dau oedolyn wedi rhuthro o rywle, i lawr y creigiau at ymyl Gwilym Hughes, a bod un ohonyn nhw wedi ymestyn darn o bren tuag ata'i ac wedi ei ddal o fewn fy nghyrraedd. Yna roedd yr un person hwnnw'n gafael yn fy sgrepan ac yn fy llusgo, yn wlyb ddiferol o'r dŵr. Fe'm sobrwyd gan y profiad hwnnw. Llwyddais, yn gam neu'n gymwys, i ddarbwyllo fy mam mai i un o'r pyllau bas yn ymyl y Costog yr oeddwn i wedi syrthio, ond yr oeddwn i ofn am fy mywyd i'r gŵr a ddaeth i'm hachub ddod i ddeall pwy oeddwn i ac i alw yn y siop i ddweud yr hanes. Mae'r ffaith na ddigwyddodd hynny yn awgrymu mai pobl ddierth oedd yr achubwyr.

Y RHYFEL YN PARHAU

Os iawn y cofiaf, roedd yn arferiad gen i godi'n gynnar, yr un pryd â fy nhad a chadw cwmpeini iddo yn y siop. Bob bore, yn blygeiniol, byddai'n dilyn yr un drefn yn union, gan ddatgloi'r drws a chodi'r bleind cyn edrych allan ac i lawr at y sgwâr. A bob bore byddai'r un twr o ddynion yn sefyll yno'n dalog yn disgwyl am y bws. 'Tywyn Trewan' oedd yr enw y clywn fy nhad yn ei ddefnyddio pan fyddai'n cyfeirio atyn nhw, sef enw'r fan, ar ochr orllewinol yr ynys lle roedd y dynion hynny yn adeiladu gorsaf newydd y Llu Awyr yn Y Fali. Dim ond flynyddoedd yn ddiweddarach y dois i ddeall mai'r dynion hyn, neu rai o'u cydweithwyr, a gododd y gadwyn ryfeddol honno, sy'n dyddio'n ôl i'r Oes gyn-Geltaidd, o ddyfroedd Llyn Cerrig Bach.

Mae'n debyg mai o droad y flwyddyn 1940 ac yn ystod y misoedd a ddilynodd hynny y daeth y rhyfel yn fwy o realiti i mi ac i bawb o fy nghwmpas. Cyn hynny, rhywbeth oedd yn digwydd o bell oedd o, wedi ei gyfyngu i glywed rhyw lais trwynol oedd yn datgan *'Jairmany calling, Jairmany calling'* ar set radio Daid Llan, i weld ambell filwr yn ei lifrai ar stryd y dref neu weld un neu ddwy o longau rhyfel. Erbyn y flwyddyn honno roedd yr Almaenwyr wedi meddiannu gogledd Ffrainc a'r Luftwaffe wedi symud llawer o'u hawyrennau bomio i feysydd awyr yno. O'r fan honno gallai ei Junkers JU88, ei Focke Wulf Fw200 a'i

Heinkel He 111 ymosod ar fannau ym Mhrydain gan osgoi'r *flak* o'r cannoedd o ynnau gwrth-awyrennau oedd yn frith ar draws de Lloegr. I ymosod ar Lerpwl roedd yr awyrennau hyn yn hedfan liw nos, yn croesi'r Môr Udd gan anelu am Dyddewi, ac yna i'r gogledd ar draws Bae Ceredigion a thros Ben Llŷn gan ddefnyddio goleuadau dinas Dulyn yn y pellter fel cyfeirbwynt ac yna troi i'r dwyrain dros Ynys Môn ac i gyfeiriad Glannau Mersi. Erbyn gweld, dyna pam yr adeiladwyd RAF Fali, a dyna pam, hefyd, y daeth sgwadron o beilotiaid Pwylaidd i Fôn ac ymgartrefu ym Maes Awyr Mona. Hwn oedd y cyfnod pan fyddai John fy mrawd a minnau yn rhoi ein pennau dan y gobennydd wrth i ni orwedd mewn arswyd yn y gwely yn gwrando ar grŵn undonog a sinistr yr awyrennau hynny yn hedfan dros ein pennau. Yn ystod 1940-41, yn ôl pob sôn, fe ollyngwyd rhai bomiau ar dref Amlwch gan awyren oedd yn awyddus i'w diosg cyn hedfan yn ôl i Ffrainc. Does gen i ddim cof am hynny, ond clywais ddweud bod Daid Llan yn gynddeiriog pan ddigwyddodd hynny a'i fod wedi mynd i sefyll ar y sgwâr i ddangos ei ddyrnau i'r bomwyr!

Rhwng Awst a Nadolig 1940 cafwyd rhagor na hanner cant o gyrchoedd awyr ar ardal Glannau Mersi gyda'r cyntaf ohonyn nhw, a ddigwyddodd ar 28 Awst, wedi ei ganoli ar ardal Prenton, yn Birkenhead. Yn ddiarwybod i mi, yn ystod yr un cyfnod, yn y dref honno, roedd plentyn arall, ddwyflwydd yn iau na mi, sef merch yr oedd ein llwybrau ni i groesi ei gilydd ymhen blynyddoedd, yn 'mochel yn nhwll dan grisiau ei chartref wrth i'r awyrennau yr oedd John a minnau wedi bod yn gwrando arnyn nhw ryw hanner awr ynghynt yn tywallt eu bomiau erchyll ar y strydoedd a'r tai o'i chwmpas. Cyrhaeddodd yr ymosodiadau hyn eu hanterth ym Mai 1941 pan ddioddefodd Lerpwl *blitz* ffyrnig am saith noson yn olynol ac mae'n debyg mai yn ystod y cyfnod hwnnw y cefais i fy nhywys, un noson, i Ben y Bonc i edrych i'r dwyrain, draw heibio i Drwyn y Leinws i weld rhyw gochni annaturiol yn llenwi awyr y nos. Yr hyn a welwn i oedd llewyrch y tanau oedd yn llosgi yng nghanol dinas Lerpwl, lle roedd y cannoedd o fomiau tân a ollyngodd yr Almaenwyr wedi gwneud eu gwaith. Ym mhen arall Cymru roedd Waldo Williams yntau yn dyst y cyrch cyffelyb ar ddinas Abertawe, sef yr un a barodd iddo lunio 'Y Tangnefeddwyr'.

Rhwng Awst a'r Nadolig yn 1940, roedd y cyrchoedd ar Lerpwl yn digwydd bob yn eilddydd a'r cyrchoedd unigol yn para am oriau lawer. Weithiau, dim ond nifer fach o awyrennau fyddai'n gyfrifol, ond yn yr ymosodiadau mwyaf anfonodd yr Almaenwyr gynifer â chwe chant. Lladdwyd oddeutu 4,000 o bobl yn y cyfnod hwn a difrodwyd rhannau helaeth o'r dociau wrth i Hitler geisio amharu ar borthladd oedd mor bwysig yn yr ymdrech i fewnforio'r holl adnoddau yr oedd eu hangen er mwyn i Brydain fedru bwrw ymlaen gyda'r rhyfel.

Roedd un arall o ddigwyddiadau cofiadwy'r cyfnod hwn hefyd yn gysylltiedig ag awyrennau. Un amser cinio, wrth i mi gerdded yn ôl i'r ysgol, daeth awyren o rywle, yn hedfan yn isel, isel. Roedd hi fel rhyw eryr bygythiol, ac yn wahanol i unrhyw beth a welais i cyn hynny. Dau ddyn oedd ynddi, ac roedd hi mor agos ata'i fel 'mod i'n gallu gweld eu hwynebau yn blaen. O boptu i'r corff, roedd rhywbeth tebyg i ddwy styllen yn ei gyplysu gyda chanol yr adenydd, fel petaen nhw'n eu cynnal, ac o dan y corff roedd dau olwyn mawr, trwsgl yr olwg. Aeth llawer o flynyddoedd heibio cyn i mi ddarganfod mai *Westland Lysander* oedd yr awyren honno, awyren a gynlluniwyd i gynnig cefnogaeth i filwyr troed. Yn sicr, fe wnaeth argraff barhaol arna'i.

Trwy gydol cyfran helaeth o fy mhlentyndod roedd y

rhyfel yn gefnlen i fy mywyd. Mae'n wir na wnaeth twrf y gynnau mawr amharu'n uniongyrchol arna'i, a bûm yn ddigon ffodus i osgoi'r golygfeydd, ar sawl cyfandir, lle'r oedd y lladdedigion yn llu, y ffoaduriaid yn cerdded yn ddiamcan i rywle a phlant yn llygadrwth yn eu dychryn, ond er hynny, roedd yr hyn oedd yn digwydd ar gyfandir Ewrop, yn Rwsia, yng Ngogledd Affrica ac yn y Dwyrain Pell mewn rhyw ffordd neu'i gilydd yn brigo i'r wyneb yn Amlwch rŵan ac yn y man. Roedd hynny o wybodaeth a'r ddirnadaeth oedd gen i yng nghylch yr hyn oedd yn digwydd yn seiliedig ar yr hyn a glywn gan bobl ac ar y radio, ond yr hyn oedd yn gwneud argraff oedd y newyddion bod un arall o fechgyn y dref wedi eu colli, un ai ar y môr, ar y tir neu yn yr awyr.

Rhwng 1941 a 1943, pan oedd sefyllfa'r rhyfel ar ei duaf, mae'n debyg bod ysbryd y bobl roeddwn i'n byw yn eu plith yn bur isel. Hwn oedd cyfnod darllediadau Lord Haw Haw, y Ffasgydd a fu yn ei ieuenctid yn ysbïo ar yr IRA i lywodraeth Prydain ac a ddaeth, gydag amser, yn erfyn propaganda i Hitler ei hun. Roedd ei lais yn gwbl unigryw ac er y bydden ni yn y Corwas yn chwerthin am ei ben, roedd enwau rhai o'r lleoedd y soniai amdanyn nhw yn aros yn y cof. Hwyrach mai ganddo ef y clywais i am y tro cyntaf am enwau Stalingrad, Moscow a Leningrad, enwau a ddaeth wedyn yn rhai roeddwn i'n eu clywed yn feunyddiol. Ar Fehefin 22 yn y flwyddyn honno roedd Hitler wedi lansio cyrch y rhoddwyd yr enw *Barbarossa* iddo, sef ei ymosodiad enfawr ar Rwsia yn yr un ffunud a'r un a fu mor llwyddiannus yn y Gorllewin. Roedd annel Hitler at y cyrch hwnnw yn ddiwyro a'i frys, yn ôl rhai, i gyrraedd ei nod o oresgyn Moscow cyn i rym yr Unol Daleithiau ddod yn ffactor o bwys yn natblygiad y rhyfel.

Ers y digwyddiad tyngedfennol hwnnw, a newidiodd gwrs y rhyfel yn sylweddol, mae sawl ymgais wedi ei gwneud i ddehongli beth yn union oedd gwir gymhellion y *Furhrer.* Tybia rhai mai'r atgasedd morbid a deimlai tuag at y Rwsiaid a'u gwleidyddiaeth, a thuag at Joseph Stalin yn arbennig, a wnaeth iddo ymddwyn mewn modd sydd heddiw'n ymddangos yn fyrbwyll, ond y mae rhai hanes-wyr wedi ceisio dadlau mai gweithred amddiffynnol oedd *Barbarossa* a bod Hitler wedi argyhoeddi ei hun bod Stalin yn paratoi i ymosod ar yr Almaen er mwyn iddo fedru defnyddio'r wlad honno fel llwyfan i ymestyn Comiwn-yddiaeth i bob cwr o Ewrop. Yn ôl dehongliad arall, awydd Hitler i sicrhau *Lebensraum* ["gofod byw" h.y. tiroedd a deunyddiau crai] i bobl yr Almaen a wnaeth iddo anfon 3.2 miliwn o'i filwyr i Rwsia. Mae eraill wedi gweld Hitler a Stalin fel dau deyrn diedifar a'u bod wedi mynd benben â'i gilydd oherwydd bod ganddyn nhw ffydd ddiysgog yn eu credo wleidyddol ac yn eu tybiaeth gyfeiliornus y byddai modd iddyn nhw weld eu breuddwydion yn cael eu gwireddu petai modd iddyn nhw ddileu cyfundrefnau oedd yn wahanol i'w heiddo hwy eu hunain.

Erbyn diwedd 1941 roedd cynlluniau Hitler yn deilchion ulw, ei ddynion yn rhewi i farwolaeth yn ystod un o'r gaeafau oeraf ers cyn cof, a lluoedd Rwsia yn llyfu eu clwyfau ac yn paratoi i yrru'r Natsïaid yn eu holau, gerfydd eu cynffonnau, tua Berlin. Aeth y frwydr honno yn ei blaen yn ddi-dor am y pedair blynedd nesaf ac erbyn ei diwedd roedd pedair miliwn o filwyr Almaenig ac wyth miliwn o filwyr Rwsiaidd wedi eu lladd ac oddeutu ugain miliwn o ddinasyddion Rwsia a'r Almaen wedi colli eu bywydau neu wedi llwgu i farwolaeth.

Flwyddyn yn ddiweddarach, yn Awst 1942, roedd ffocws y siarad wedi symud i Ogledd Affrica. Roedd y map Philips enfawr yn yr ysgol, yr oedd y lliw coch mor amlwg arno, yn un na fyddwn i byth yn blino edrych arno, a phan ddaeth y newydd fod fy Ewyrth John ac Ewyrth Goronwy ill dau yn y rhan honno o'r byd byddwn yn syllu a syllu ar y darn hwnnw o Gyfandir Affrica bron bob dydd. Hyd y gallwn i gasglu, roedd rhywun o'r enw Montgomery yn dipyn o arwr yn ein tŷ ni, a'r papur yn canu ei glodydd o hyd ac o hyd.

Ymhen dwy flynedd arall roedd newid sylweddol wedi digwydd yn y modd yr oedd pobl yn synio am hynt a helynt y rhyfel, ac ymdeimlad o optimistiaeth wedi cydio yn y gymdeithas. Ym Mehefin 1944, roedd lluoedd y Cynghreiriaid wedi llwyddo i ennill troedle ar draethau Normandi a Calais a chofiaf hefyd weld lluniau'r miloedd o ddynion a gafodd eu hedfan a'u parasiwtio i gyffiniau Arnhem toc ar ôl hynny. Ond wyddwn i ddim mai antur ffôl ac aflwyddiannus oedd honno a'i bod hi wedi cael ei chynllunio ar anogaeth daer a chwbl ddiwyro'r Maes-lywydd Montgomery. Doeddwn i ddim yn gwybod, chwaith, mai un o'r ffactorau a wnaeth i Montgomery ystyfnigo a mynnu mynd ymlaen gyda'r ymosodiad oedd y genfigen enbyd a fodolai rhyngddo a'r Cadfridog Eisenhower, sef y sawl oedd yn gyfrifol am holl luoedd arfog y Cynghreiriaid ar gyfandir Ewrop. Methiant llwyr fu'r fenter yn yr Iseldiroedd ac aberthwyd 1500 o ddynion er mwyn porthi ei ego.

Ond gartref yn y Corwas roedd newidiadau eraill ar droed. Toc cyn y Nadolig, 1944, ymddangosodd coets *Silver Cross* newydd, ysblennydd, yn y parlwr ffrynt. Ar waetha'r holl chwilfrydedd a enynnwyd ganddi, doedd dim eglurhad boddhaol i'w gael gan Mam ac mae'n debyg bod y ffaith fod y Nadolig ar y trothwy ar y pryd wedi bod yn ddigon i ddwyn fy sylw i gyfeiriadau eraill. Bu raid i John a Wyn a minnau aros tan ddydd Mawrth, y nawfed o Ionawr, cyn i'r dirgelwch oedd yn gysylltiedig â'r goets gael ei ddatrys. Y bore hwnnw, a minnau newydd fynd i lawr y grisiau i'r gegin, cyhoeddodd fy nhad fod gan John a Wyn a minnau chwaer fach ac os byddwn i'n gwneud hynny'n ddistaw y cawn i fynd i fyny i'r llofft gefn i'w gweld hi. Ac yno, yn ei gwely, gyda Wini fy chwaer fach newydd yn ei breichiau, yr oedd Mam. Ynddo'i hun, roedd hynny'n rhyw gymaint o destun rhyfeddod ond yr hyn a barodd y syndod mwyaf i mi ar y pryd oedd y jwg wydr fawr oedd ar y bwrdd yn ymyl y gwely. Cyn y diwrnod hwnnw, dim ond gan Nain yn y Longae yr oeddwn i wedi gweld jwg o ddŵr lemon. Mae'r ffaith nad oeddwn i na fy mrodyr wedi amau beth oedd yn yr arfaeth yn amlygu rhyw naïfrwydd syfrdanol ar ein rhan ac yn siarad cyfrolau am agweddau'r cyfnod tuag at ffeithiau sylfaenol byw a bod. I fy nhad roedd dyfodiad Wini, wedi iddo ef a mam gynhyrchu tri bachgen yn olynol, yn destun balchder rhyfeddol a dywedir ei fod wedi sefyll o flaen y siop, ar fore genedigaeth fy chwaer, yn rhoi gwybod i'r byd a'r betws am ei lwyddiant. Mae'n bur debyg bod elfen o ryddhad yn gymysg â'r balchder hwnnw. Yn aml iawn byddai gwrando ar dri o fechgyn anystywallt yn tyrfu ac yn gweryru i fyny grisiau ac ar hyd lobi'r Corwas yn gryn dreth arno, ac ni fyddai ychwanegu bachgen arall at y rhengoedd anwar-aidd hynny wedi bod yn ddim cysur o gwbl iddo.

Roedd gaeaf 1944-45 yn oer ym Mhrydain, ond yn un eithriadol o oer a gwlyb ar y Cyfandir. O'r Dwyrain , roedd y gwarchae ar y Drydedd Reich yn cynyddu yn ei grym wrth i luoedd y Cadfridog Zhukov a'i gymrodyr, ar sail aberth nad oes dirnad ar ei maintioli, ddynesu at lannau'r Afon Oder ac at ffin yr Almaen ei hun. Yn y Gorllewin wrth i'r rhew a'r eira lesteirio eu symudiadau, bu bron i wrth-ymosodiad yr Almaenwyr â thorri bwlch trwy Drydedd Fyddin y Cadfridog Bradley ym mynyddoedd yr Ardenne, ond unwaith yr ataliwyd y *Wehrmacht* yn y fan honno mater o amser yn unig oedd buddugoliaeth lluoedd y Cynghreiriaid. Bedwar mis yn ddiweddarach, ar ddydd

Mawrth 8 Mai, 1945 daeth y Rhyfel yn erbyn yr Almaen i ben, ac yn Awst, wedi i'r Americanwyr ddinistrio dinasoedd Hiroshima a Nagasaki, ildiodd Japan a daeth heddwch i deyrnasu yn y Dwyrain Pell.

Ymhen amser daeth Dewyrth Owen, Dewyrth John a John Jones Penterfyn yn ôl o'r rhyfel yn gymharol ddianaf. Gwaetha'r modd ni ddychwelodd Hugh *Ivy House*. Roedd Hugh wedi diflannu yn jyngl Burma yn 1943 ac ni fu unrhyw gyfrif amdano ar wahân i ddatganiad moel yn dweud wrth ei deulu ei fod 'ar goll'. Am gyfnod hir ar ôl hynny, ni allwn yn fy myw ddeall pam roedd yr emyn "Bydd canu yn y nefoedd" yn parhau i gael ei ledio a phob gobaith am i Hugh ddod adref yn ei ôl wedi pylu am byth. Gwyddwn, o wrando ar gywair lleisiau pobl, bod y dagrau ar ei ôl wedi bod yn hir iawn yn sychu, ac ar y pryd roeddwn i wedi argyhoeddi fy hun y byddai'r canu yn y nefoedd yn fwy myngus oherwydd na fyddai neb mwyach yn cael rhannu'r direidi heintus a'r hwyl ddiniwed oedd mor nodweddiadol o Hugh.

Dim ond yn ddiweddar, trwy chwilota a holi yr ydw i wedi dod i wybod dipyn mwy am gefndir yr hyn a ddigwyddodd iddo. Ar ddechrau'r Ail Ryfel Byd roedd Burma yn parhau i fod yn rhan eithaf anfoddog o'r Ymerodraeth Brydeinig a'i chyfoeth mewn olew, coed a rwber yn cyfrannu'n sylweddol i goffrau'r trysorlys yn Llundain. I hwyluso'r godro digon diegwyddor hwnnw, roedd deunaw miliwn o drigolion y wlad yn cael eu rheoli mewn modd digon haerllug ac annemocrataidd gan oddeutu miliwn o Indiaid a oedd wedi cael eu 'trosglwyddo' yno gan y pwerau Imperialaidd. Roedd y rheini, yn eu tro, yn ddarostyngedig i leiafrif bychan o 'feistri' gwynion. Fel y gellid disgwyl roedd Churchill yn lloerig pan lwyddodd lluoedd Japan i lifo i mewn i Burma o Wlad Thai yn 1942, gan fwrw lluoedd Prydain yn ôl dros y ffin i India, ond er iddo droi pob carreg ddiplomataidd oedd ar gael iddo i geisio darbwyllo'r Americanwyr i'w helpu i adennill y tiroedd a gollodd, clust fyddar oedd yr un yn Washington. Erbyn hynny, roedd iechyd yr Arlywydd Roosevelt yn dirywio ac roedd ganddo fwy na llond ei ddwylo o drafferthion eraill i feddwl amdanyn nhw heb iddo orfod ychwanegu consyrn am ddyfodol yr Ymerodraeth Brydeinig a'i buddiannau.

Yn sgil diffyg diddordeb yr Americanwyr, bu'r rhan fwyaf o'r fyddin Brydeinig yn dal eu dwylo yng ngogledd-ddwyrain yr India rhag ofn i wŷr yr Ymerawdwr ymosod ar y wlad honno a dim ond ymyrraeth gŵr o'r enw Orde Wingate a darfodd ar y sefyllfa. Mae un sylwebydd wedi disgrifio Wingate fel gŵr Meseianaidd ac anghytbwys. Roedd yn perthyn i Frawdoliaeth Plymouth ac yn arddel y gred y dylid adfer tir Israel i'r Iddewon. Credai hefyd fod pobloedd Ynysoedd Prydain yn un o lwythi gwreiddiol Israel. Ar waethaf ei ffaeleddau amlwg, roedd gan Churchill gryn feddwl ohono, ac am gyfnod, bu'n ystyried ei wneud yn Gadbennaeth holl luoedd Prydain yn y Dwyrain Pell. Fe'i darbwyllwyd rhag gwneud hynny, ond mewn cam gwag arall ar ei ran penderfynodd y Prif Weinidog ddyrchafu Wingate a'i wneud yn Uwch-frigadydd a rhoddodd iddo'r awdurdod i gychwyn ymgyrchoedd yn erbyn y Japaneaid yng ngogledd Burma. Sianelwyd adnoddau ychwanegol i'r India er mwyn hwyluso hynny. Er cryn ryddhad i lawer o uwch swyddogion y Fyddin Brydeinig, gan gynnwys y Cadfridog Slim, cafodd Wingate ei ladd mewn damwain awyren ym Mawrth 1944 ond erbyn hynny, roedd ei ddyrchafiad wedi mynd i'w ben ac roedd wedi gweithredu mewn modd a ystyrir heddiw yn bur fyrbwyll. Cafodd cannoedd o ddynion gan gynnwys Hugh *Ivy House* eu haberthu fel canlyniad i'r byrbwylledd hwnnw.

Er mwyn ceisio dinistrio'r rheilffordd rhwng Mandalay a Myitkynia y dibynnai'r Japaneaid arni i symud milwyr ac arfau o'r de i'r gogledd, penderfynodd Wingate y byddai'n sefydlu corff milwrol o'r newydd, gan roi'r enw *Chindits* iddo. Roedd yr enw hwnnw'n tarddu o iaith Burma, ac yn seiliedig ar yr enw *Chinthe*, sef enw llew mytholegol. Roedd y Chindits yn gymysgedd o filwyr o Brydain, dynion o Burma ei hun yn ogystal â rhai Gurkhas. Rhan o'r fintai Brydeinig oedd y Ffiwsilwyr Cymreig ac roedd y platŵn y perthynai Hugh iddo yn cael ei arwain gan yr actor Cymreig, Hugh Griffith, brodor o'r Marian-glas. Gobaith Wingate oedd y byddai eu cyrch yn treiddio ymhell i mewn i diriogaeth y Japaneaid gan brocio ac amharu arnyn nhw. I'r diben hwnnw anfonodd dair mil o'r dynion hyn, mewn grwpiau bach, ar droed dros y ffin i Burma gyda'r bwriad o gyflenwi eu hanghenion trwy ddefnyddio awyrennau. Ond fel llawer i gynllun milwrol arall aeth pethau o chwith yn ddifrifol, bu'r cynllun yn fethiant llwyr a chollodd Wingate ddau o bob tri o'i filwyr.

Mae'n anodd dyfalu sut y ceisiodd bachgen ifanc o'r Burwen, llecyn tawel ar gyrion tref Amlwch, ymdopi gyda bywyd yn yr uffern a'i wynebai yng ngwres llethol ac afiach jyngl Burma. Mwy anodd fyth yw ceisio dyfalu beth ddaeth ohono yn y diwedd. Y cyfan a wyddon ni yw'r ffaith mai ar y deunawfed o Fawrth, 1943 y buo fo farw ac mai'r unig gofeb iddo yn y Dwyrain Pell yw'r un a geir yn Rangoon, rai cannoedd o filltiroedd o'r fan lle bu farw. Fel yn achos yr aderyn hwnnw y cyfeiriodd Williams Parry ato, felly hefyd, mae'n debyg y trengodd Hugh:

A neb ni wêl na lle na dull
Ei farw tywyll, tawel.

HEDDWCH

Gyda dychweliad yr holl ddynion ifanc a fu o'u cynefin cyhyd, daeth chwistrelliad o fywyd ac asbri newydd i dref Amlwch. Hwn oedd cyfnod euraidd pêl-droed yng ngogledd Cymru, a thîm ein tref ni yn cipio llawryf ar ôl llawryf. Roedd pob un o aelodau'r tîm yn arwyr i ni'r plant ac un o uchelfannau ein hwythnos oedd cael mynd i edrych ar yr hysbysfwrdd yn ffenest y siop ar y sgwâr ar nos Iau i weld pwy fyddai'n chwarae i'r tîm y Sadwrn canlynol. Un o'r chwaraewyr amlycaf oedd gŵr amryddawn o'r enw A N Other, gŵr a allai chwarae mewn unrhyw safle. Ymhlith y lleill, oedd â thipyn mwy o sylwedd ynddyn nhw, roedd Harri a Ffranc ac Arthur, hogia'r Dwygyr, Idwal y Bwtsiar oedd fel cawr yng nghanol y cae, Gwilym Owen y Banc yn sicr ei afael yn y gôl, Wil Owen, Stryd Salem yn chwimwth ar yr asgell, a'm harwr pennaf oll, fy Ewythr Goronwy, yn disgleirio ar yr ochr dde i'r cae. Dywedid bod fy ewythr wedi chwarae yn yr un tîm â Stanley Matthews pan oedd yn y fyddin yn yr Eidal a hawdd oedd credu hynny wrth ei weld yn driblo ac yn gwneud i amddiffynwyr fynd i bob cyfeiriad ond yr un cywir wrth geisio ei rwystro. A doedd neb tebyg iddo yn y byd i gyd am anelu ciciau cosb i gornel uchaf y gôl.

Roedd ein cefnogaeth i'r tîm yn ddiamod, a bydden ni'r bechgyn, ynghyd â fflyd o ferched ifanc oedd yn rhyw fath o *groupies* i'r chwaraewyr, yn eu dilyn o Sadwrn i Sadwrn waeth beth oedd y tywydd. Bysiau Mr Rowlands, Garej y Grogan, fyddai'n ein cario ar hyd ac ar led ac os medrwn i stwffio fy hun i un o'r seddau blaen roeddwn wrth fy modd am 'mod i'n gallu edrych i lawr trwy'r gril ar ochr y boned a gweld maniffold yr injan betrol yr hen *Bedford Duplo* yn eirias goch wrth iddi'n tynnu ni'n llafurus i fyny gelltydd Môn ar ein ffordd i gwrdd â'n gelynion. Golygai'r teithiau Sadyrnol ein bod yn ymweld â rhai o'r pentrefi a threfi oedd yn gartref i'r timau yr oedden ni'n eu hystyried y mwyaf anwar yr ynys. I ni, oedd heb ronyn o wrthrychedd ar ein cyfyl, unig nodwedd timau mannau fel Niwbwrch a'r Berffro a Llannerch-y-medd oedd eu gallu i chwarae'n fudur ac yn aml roedd nifer y cleisiau a gâi'n tîm ni yn fwy na nifer y goliau oedden nhw'n gallu eu sgorio. Ac am ganu. Wrth fynd, byddai seiniau 'Mae Llannerch-y-medd yn lleuog meddan nhw' ar y dôn fawreddog *'She'll be coming round the mountain when she comes . . .'* a phethau dyrchafedig cyffelyb yn falm i'r glust a'r enaid ac yn atgyfnerthiad i'r tîm wrth i ni fynd yn llawn hyder ar ein ffordd i'r drin. Ond os mai colli fyddai'r hanes, a hogia briwedig a chleisiog y tîm yn dawel ac yn benisel, y cyfan oedd i'w wneud oedd gwrando ar injan y *Bedford* yn canu grwndi dan ein traed a byw yn y gobaith y byddai hi'n well y Sadwrn wedyn.

Un o'r blynyddoedd mwyaf llwyddiannus oedd honno pan lwyddodd ein tîm ni i ddod â'r *North Wales Junior Cup* yn ôl i Amlwch. Roedd y bygylu yn galed yn y rowndiau rhagbrofol i gyd, ond profodd y rownd derfynol yn fwy arteithiol hyd yn oed na hynny. Newmarket oedd y gwrthwynebwyr a minnau, yn fy anwybodaeth naïf, wedi argyhoeddi fy hun mai'r Newmarket lle roedd rasus ceffylau yn cael eu cynnal oedd hwnnw. Mae'n rhaid nad arhosais i i ofyn sut y gallai'r fath le fod mewn cystadleuaeth yn *North Wales*. Gêm gyfartal a gafwyd pan gyfarfu'r ddau dîm am y tro cyntaf a chyfartal oedd hi wedyn, hefyd, ar ôl yr ail ymrafael yn Ffordd Farrar, Bangor. Wrth fynd adref ar ôl y gêm honno roedd y ffaith fod rhai o gefnogwyr Newmarket yn rhegi yn y Gymraeg yn destun cryn ddryswch yn fy meddwl.

Bron nad aeth pawb o drigolion Amlwch oedd yn gallu rhoi un goes o flaen y llall am Fangor ac i Ffordd Farrar ar gyfer y drydedd gêm. Yn ogystal â'r fflyd o fysiau, roedd trên arbennig wedi ei drefnu a dinasyddion dinas Bangor yn methu'n lân â deall beth oedd yn gyfrifol am y fath ecsodus o wladwyr o Fôn. Fel yn y ddwy gêm flaenorol, roedd y ddau dîm yn ddiflas o gyfartal yn y gêm hon, hefyd, ac wrth i'r ail hanner rygnu yn ei flaen, ac wrth i'r cae gael ei droi'n gors fwdlyd gan esgidiau'r chwaraewyr, roedd pawb wedi dechrau mynd i gredu bod hon yn gêm fyddai'n para am byth. Yna, yn sydyn, daeth rhyw bwl o dawelwch ar yr awel wrth i Amlwch gael cig gosb yn ymyl y llinell ganol ac yn agos at y fan lle roeddwn i yn sefyll yn y dyrfa. Wrth i'n chwaraewyr ni ddechrau edrych ar ei gilydd i weld pwy fyddai'n gyfrifol am y gic gwelais y Capten yn troi at Idwal y Bwtsiar ac yn dweud rhywbeth tebyg i 'Cymer di hon, Bwts, mae hi'n rhy drom i mi.' Erbyn hynny roedd y dorf wedi llonyddu'n llwyr, y chwaraewyr yn sefyll yn eu hunfan i ddisgwyl am y gic ac Idwal yn sychu blaen ei esgid dde hefo'i law. Yna, gyda thri neu bedwar cam ymlaen rhoddodd ergyd i'r bêl gan wneud iddi hwylio'n uchel i'r awyr a dod i lawr yng nghornel rhwyd Newmarket heb i'w golwr fedru symud na bys na bawd. Ar fy ffordd adref ar fws oedd yn llawn o lawenydd anwybodus doeddwn i fawr o wybod mai Trelawnyd yn ymyl Diserth oedd y Newmarket a gafodd eu curo ac mai glowyr o bwll glo y Parlwr Du oedd rhai o'u chwaraewyr.

Er 'mod i'n i'n greadur digon cymdeithasol ac yn hoff

iawn o gwmni ffrindiau, roedd rhyw anian arall yn ddwfn yno'i yn cyd-redeg â hynny, a'r awydd i fod ar ben fy hun ar brydiau yn drech nag unrhyw ddeisyfiad i fod yn un o'r dorf. Weithiau byddai Mam yn dweud y drefn ac yn edliw 'mod i'n treulio gormod o amser yn synfyfyrio neu'n chwarae gyda fy set Meccano ar fwrdd y gegin. Roedd honno wedi gweld cymaint o ddefnydd gen i fel bod y rhan fwyaf o'r paent oedd ar y darnau wedi hen ddiflannu cyn i mi ddechrau teimlo mod i wedi dihysbyddu pob mymryn o botensial oedd ynddi.

Ond hedfan oedd fy mhethau mewn gwirionedd, a threuliwn oriau lawer yn eistedd neu'n gorwedd yn rhywle lle roedd modd gwylio gwylanod yn nofio ar yr awel, yn troi'n osgeiddig neu'n codi i'r entrychion heb i hynny ymddangos yn unrhyw fath o ymdrech iddyn nhw. Ac roedd delwedd y *Lysander* yn gyndyn iawn i adael llonydd i mi. Am gyfnod bu rhyw ffantasi ynghylch adeiladu awyren go iawn, un y gallwn i fynd â hi i ben allt Mynydd Parys, a hedfan dros y dref yn union fel y gwnâi'r gwylanod yn troi a throsi'n barhaus yn fy meddwl. Yr obsesiwn hwnnw, mae'n debyg oedd yn gyfrifol am fy hoffter o farcutiaid a'r ffaith 'mod i'n arbrofi, byth a hefyd, gyda gwneud rhai o wahanol fathau a maintioli. Pur amrwd oedd fy nefnyddiau crai, ond er ei fod yn brin roeddwn i'n llwyddo, rhywust, i gael gafael ar ddarnau o bapur llwyd digon cryf. Hen ais, wedi'u hollti ar eu hyd oedd defnydd y ffrâm, a'r rheini wedi'u clymu ar ffurf croes. Câi'r cyfan eu rhoi yn ei gilydd gyda phast blawd a dŵr a'r un bellen o linyn, neu 'doin' fel y cyfeirien ni ato, yn gwneud y tro o un barcut i'r llall nes i ryw fechgyn mawr ei dorri pan oedd un o fy marcutiaid yn yr awyr a minnau'n gorfod syllu ar y toin a'r hyn a'i tynnai yn diflannu dros y creigiau i'r môr.

Pan oeddwn i'n unarddeg y cafodd twymyn yr

awyrennau afael yno'i am y tro cyntaf. Yn eironig ddigon, roedd y frech goch yn ein tŷ ni, ond ar fy mrodyr ac nid arnaf fi. Er mwyn ceisio fy niogelu rhagddi, a rhag ofn i mi golli'r cyfle i sefyll arholiad y *Scholarship* a ystyrid yn un mor dyngedfennol, cefais godi fy mhac a'm hanfon i aros yn nhŷ fy nain am wythnos.

Erbyn hynny, gyda'r rhyfel wedi dirwyn i ben, roedd rhyw fath o normalrwydd wedi dechrau dychwelyd i fywydau pawb a mwy a mwy o nwyddau o wahanol fathau wedi dechrau ymddangos yn y siopau. Yn ein stryd ni, bron gyferbyn â'm cartref, roedd teulu o Saeson oedd wedi prynu siop ac wedi dechrau gwerthu teganau oedd yn tynnu dŵr o ddannedd bachgen oedd wedi cael ei amddifadu o deganau o unrhyw fath trwy gyfnod digon llwm y rhyfel. Yno, fel rhyw fath o wobr gysur i mi am gael fy alltudio i'r Longae am wythnos, y prynodd fy mam un o'r anrhegion mwyaf cynhyrfus a gefais i erioed, sef cit o fodel awyren. Prin fod angen dweud mai *Spitfire* oedd yr awyren honno, yr awyren yr oedd lledaenwyr sbin y cyfnod hwnnw wedi ei gwneud yn symbol o wladgarwch Prydeinig. Ar y pryd roeddwn i'n ysglyfaeth ddiymadferth i'r propaganda hwnnw a heb ddeall mai digwyddiad oedd ag arwyddocad digon ymylol oedd y *Battle of Britain* bondigrybwyll ac na fyddai Hitler wedi meiddio ymosod ar Ynysoedd Prydain gan ei fod yn gwybod y byddai grym llethol y *Royal Navy* wedi ei rwystro rhag gwneud hynny.

Ac yno, ar fwrdd cegin y Longae, ac yng ngolau ac arogl y lamp baraffin, y dois i ar draws pren balsa a glud seliwlos am y tro cyntaf a gorfod ymlafnio i ddeall cynllun dyrys a chymhleth oedd yn llawn o dermau dieithr fel *stringer* a *former, leading edge, ailero, dihedral* a phethau tebyg. I roi'r *Spitfire* yn ei gilydd roedd gofyn torri rhai dwsinau o siapiau oedd wedi'u stampio ar styllod tenau o bren balsa, eu lleoli yn unol â'r patrwm yn y cynllun ac yna eu glynu'n ei gilydd. I mi, roedd yn waith arswydus o anodd, y darnau'n rhy fân o ddim rheswm i fysedd anfedrus a'r llafn o rasal *Gillette* fy nhad, oedd yn finiog ar ei dwy ochr, lawn mor barod i dorri fy nghnawd i ag oedd hi i dorri'r darnau roedd gofyn i mi eu torri. Gan bwyll bach, ac ar waethaf y ffaith fod fy nhorri yn aflêr a'm diffyg profiad yn llestair, fe ddechreuodd yr ysgerbwd yr oeddwn i'n ei lunio ymdebygu i awyren o ryw fath, ac mewn ychydig ddyddiau cefais innau fy mhrofiad cyntaf o ddechrau rhoi croen o bapur tisw digon brau dros fframwaith y corff a'r adenydd a chael y wefr o weld hwnnw yn tynnu ato ac yn troi'n groen sgleiniog eithaf gwydn wrth i mi baentio'r cyfan gyda'r glastwr o hylif seliwlos y rhoddir yr enw *dope* iddo. Bryd hynny, doedd neb wedi clywed am blant yn anadlu sylweddau!

Ar un ystyr, methiant fu'r ymgais cychwynnol hwn gan i'r *Spitfire* druan fynd yn ysglyfaeth i ryw *Luftwaffe* o awel a lwyddodd i'w dinistrio'n llwyr ar ei hedfaniad cyntaf, ond os mai torri fu hanes yr awyren, wnes i ddim torri fy nghalon a bu'r profiad yn ddigon i ennyn fy niddordeb ac i'm harwain i ymddiddori mwy a mwy mewn modelau oedd yn hedfan. Fel canlyniad, dechreuais adeiladu awyrennau gan brofi fy llwyddiant gwirioneddol cyntaf gyda gleider eithaf syml o'r enw *Magpie,* a dysgu yn sgil honno beth oedd ystyr a phwysigrwydd y craidd disgyrchiant. Er bod y cynlluniau i gyd yn pwysleisio hynny, roeddwn i'n cael anhawster ar y dechrau i dderbyn bod angen rhoi pwysau sylweddol ym mlaen awyren er mwyn ei chydbwyso gan 'mod i'n credu mai ysgafnder oedd nodwedd bwysicaf unrhyw beth oedd yn hedfan. Roedd fy amharodrwydd i dderbyn dilysrwydd y cyfarwyddiadau yn effeithio'n sylweddol ar berfformiad y *Magpie* a phob tro yr oeddwn i'n ei lansio roedd ei thrwyn yn mynd ar i fyny a hithau'n syrthio, gerfydd ei chynffon i lawr i'r ddaear. Ond

unwaith yr es i drwy fwlch yr argyhoeddiad hwnnw a rhoi nifer o belenni plwm bychan yn ei thrwyn fe lwyddais i'w chael i hedfan yn llwyddiannus. Ar ôl hynny doedd dim pall ar fy mrwdfrydedd na'm diwydrwydd. Cefais sawl profedigaeth enbyd ar fy nhaith, gan golli sawl model ar eu hedfaniad cyntaf a gweld wythnosau o waith dyfal yn ulw rhacs yn y gwair yng nghaeau Tŵr Gwyn. Ond, erbyn hynny roeddwn i wedi dysgu bod yn athronyddol, y clwy wedi gafael a dim troi'n ôl i fod.

Dim ond stoc gyfyng o'r nwyddau yr oedd eu hangen arna'i oedd i'w cael yn y siop dros y ffordd ac am flynyddoedd bu'r postman yn cario parseli i'r Corwas oedd wedi cychwyn eu taith yn siop Bud Morgan, Arcêd y

Castell, Caerdydd. Er bod y rhan fwyaf o'r rheini yn nwyddau brau, llwyddodd y mwyafrif i gyrraedd yn ddianaf. Wrth erfyn a phlagio roeddwn yn cael arian gan fy mam a maintioli a nifer y modelau yn cynyddu o fis i fis nes roedd parlwr ffrynt y Corwas yn ymdebygu i hangar, gydag awyrennau ar y cypyrddau, y dresel a'r silffoedd. Am gyfnod awyrennau yn cael eu gyrru gan fotor rwber oedd pob dim, ond gydag amser deuais i ddeall bod modd gwau motor rwber pwerus gydag elastig pwrpasol a bod un felly yn gallu tynnu awyren o gryn faintioli i'r awyr a'i chadw yno am gyfnod hir. Proses hir a llafurus oedd weindio'r propelydd rai cannoedd o weithiau gyda llaw, ond wrth gael benthyg dril fy Ewythr John, a manteisio ar y geriad oedd ynddo, roeddwn i'n osgoi'r llafur caled. I weindio'n llwyddiannus roedd angen cael rhywun i ddal yr awyren yn dynn tra oeddwn innau'n tynnu'r motor gryn ddwy lath allan o'i chorff , gan weindio'n araf wrth dynnu i mewn a'i ollwng yn ôl. Ond y rhan orau oll oedd dal yr awyren i fyny, rhyddhau'r propelydd, gadael i'r holl dyndra oedd yn yr elastig wneud ei briod waith a gweld yr awyren yn dringo fel aderyn i'r awyr.

Fesul tipyn cynyddodd fy medrusrwydd, a thrwy ddarllen y cylchgrawn *Aeromodeller* a dysgu ohono, mentrais roi cynnig ar adeiladu awyrennau mwy a mwy soffistigedig nes i mi, yn y diwedd wireddu fy uchelgais a llwyddo, ar ôl celcio digon o arian, i brynu motor go iawn i'w gyrru. Mae'r peiriant hwnnw'n dal i fod yn eiddo i mi hyd heddiw a bron na allaf ddweud bod yr hen wefr yn dod yn ôl bob tro y byddaf yn gafael ynddo. Injan oedd yn cynnau'n gywasgol oedd y *Frog* 1cc ac er ei bod hi'n fychan o ran maint, i mi roedd hi'n wirioneddol ffyrnig o bwerus. Gweithiai ar yr un egwyddor â pheiriant disel, gan ddibynnu ar y gwres a gynhyrchir wrth gywasgu'r tanwydd ym mhen y silindr i wneud iddo danio. Ond wedi imi lwyddo i fyw trwy'r cynnwrf cyntaf o ddisgwyl am y postmon, bu raid disgwyl am gryn amser gan mai dim ond y pryd hynny y sylweddolais i nad oedd tanwydd i'r motor i'w gael yn unman. Doedd dim modd ei gael drwy'r post, a doedd dim un siop yn Sir Fôn yn ei werthu! Ond mae mwy nag un ffordd o gael Wil i'w wely, a rhywfodd, trwy ddirgel ffyrdd, cefais afael ar fformiwla cyfansoddiad y tanwydd a mynd ati i geisio dod o hyd i'r gwahanol elfennau yr oedd eu hangen arna'i. Ether oedd yr elfen beryclaf o ddigon o'r rheini, ond yn yr oes honno, pan nad oedd sôn am gyffuriau nac anadlu glud na dim o'r fath, gallai bachgen ysgol ei brynu, wrth y botelaid! Mae'n debyg bod Llew Jones, y fferyllydd lleol hawddgar, yn meddwl 'mod i'n ei ddefnyddio i biclo creaduriaid marw neu rywbeth. Olew Castor a pharaffîn oedd y ddwy elfen arall ac wedi cymysgu'n unol â'r fformiwla osodedig, sef 35% ether, 40% paraffin a 35% olew castor, fe anadlwyd bywyd i ysgyfaint y *Frog* gan y gymysgedd ffrwydrol hon ac roeddwn innau'n barod i hedfan awyrennau go-iawn.

Heddiw mae modd rheoli modelau awyrennau gyda radio, ond yn y dyddiau diniwed hynny, y cwbl y gallwn ei wneud oedd amrywio faint o danwydd oedd yn mynd i'r tanc, gofalu nad oedd y gwynt yn chwythu i gyfeiriad y môr, a bod yn barod i redeg! Y maes golff, ger y Longae oedd y maes awyr, a gwelodd hwnnw, a'r golffwyr goddefgar a'i tramwyai, awyrennau o bob llun a lliw a maintioli yn hedfan uwch eu pennau. Roedd grym ffyrnig yr injan fach yn anhygoel. Unwaith y byddai wedi tanio, y cyfan oedd ei angen oedd dal yr awyren fel ei bod yn wynebu'r awel a gadael i'r *Frog* ei thynnu, gerfydd ei thrwyn i fyny i'r entrychion. Weithiau byddai'r awyren yn codi mor uchel nes fy mod yn colli golwg arni, ac wedyn yn gorfod disgwyl i'r tanwydd orffen cyn ei gwylio yn dod i lawr yn araf neu'n cael ei chwythu am filltir neu fwy gan yr awel. I lawer o drigolion yr ardal ac i sawl un o'r golffwyr, roedd yr holl beth yn ddirgelwch llwyr.

Yn y cyfnod hwnnw, sef fy mlynyddoedd cyntaf yn yr ysgol uwchradd, roedd arogl seliwlos yn treiddio i bob cornel o'r Corwas ac mae'n anodd gen i gredu nad oedd rhai o'r cigoedd yn y siop a'r gegin gefn yn mwydo peth ohono. Oherwydd hynny, siawns nad oedd llawer o'r teuluoedd a ddeuai i'r Corwas i brynu cig yn y cyfnod hwn yn cael y profiad unigryw o fwyta *'boeuf avec cellulose'* neu hyd yn oed *'corned beef avec cellulose'* i ginio ar y Sul? Ond chlywais i neb yn cwyno.

Ond, yn ogystal â'r awyrennau, roedd gen i ddihangfa arall ac er mawr syndod i mi fy nhad agorodd y drws led y pen i honno. Un bore, toc ar ôl i ganlyniadau'r arholiad *Scholarship* gael eu cyhoeddi, aeth â mi yn ddirybudd i fyny Stryd Mona ac i siop 'Griff Beics'. Yno, yn y ffenest, yr oedd beic *Hercules* yr oeddwn i wedi bod yn ei lygadu ers rhai wythnosau cyn hynny, a thrwy ei brynu i mi am dair punt ar ddeg a chweugain, heb iddo lawn sylweddoli hynny, rwy'n siŵr, llwyddodd i ychwanegu dimensiwn sylweddol arall at y pethau annheilwng hynny yr oeddwn i, yn ei eiriau o, yn 'mopio' fy mhen gyda nhw. Y beic, erbyn gweld, oedd fy ngwobr am i mi lwyddo i basio'r 'Sgolarship' fondigrybwyll ac wrth ei brynu i mi, roedd fy nhad wedi ymestyn terfynau fy rhyddid i raddau nad oedd ef na minnau wedi dechrau eu dychmygu ac wedi agor rhyw fath o bennod newydd yn hanes fy mhlentyndod ac wedi rhoi byd arall yn fy ngafael.

Gwyrdd oedd y ffrâm. Roedd gêr *Sturmey Archer* tri sbîd wedi'i ymgorffori yn ei echel ôl, a swits i reoli hwnnw ar ochr chwith y llyw. Er bod rhai o'r bechgyn eraill yn edliw ac yn pryfocio yn ddiddiwedd ac yn adrodd rhyw hen eiriau oedd yn rhai digon hyll yn fy ngolwg, sef 'Hercules – beic tri mis' i mi, bu'r beic hwnnw, oedd wedi'i gondemnio i fod yn un mor fyrhoedlog, yn gyfaill triw a dibynadwy am flynyddoedd lawer ar ôl hynny.

Mae gen i gof clir iawn am fy antur gyntaf ar ei gefn pan fentrais i gyn belled â Phenrhyd i nôl wyau i Mam, gorchwyl y byddwn i'n ei chyflawni yn wythnosol am flynyddoedd ar ôl hynny. Ar gyrion Penrhyd, mewn tŷ a safai ar ei ben ei hun, ar fryn isel yng nghanol y caeau, yr oedd y Betws, sef cartref y sawl oedd y byddwn i'n cyfeirio ato fel Dewyrth Betws. David John Roberts oedd ei enw go-iawn. Roedd gofyn gadael y beic ar ochr y ffordd wrth bont y rheilffordd a cherdded ar draws caeau rhychiog a gwlyb i gyrraedd y Betws.

Edrychai'r Dewyrth Betws a fyddai'n fy nghyfarch yn ei gartref yn bur wahanol i'r un a welwn i yn y Sêt Fawr yn y capel neu'r un a ddeuai i'r Corwas i sgwrsio hefo Daid Llan. Yn yr Ysgol Sul, yn ei siwt ddu, oedd ag arogl *mothballs* yn gryf arni, byddai'n ceisio ein darbwyllo ni bod pobl wedi cael eu rhannu'n ddwy garfan, a'n bod ni, am ein bod yn Fethodistiaid ymhlith y garfan fwyaf ffodus o'r ddwy, sef yr un oedd yn etholedig. Byddai'n sôn yn aml am yr hyn a alwai'n 'daith dydd Sabath' ac yn ceisio darbwyllo ni'r hogia i beidio crwydro gormod ar Ddydd yr Arglwydd. Yn y Betws, yn ei farclod bras, sachliain, gyda llinyn beindar o gwmpas ei ganol, a'r ieir o gwmpas ei draed yn y gegin, a'r gwynt yn rhuo i mewn trwy'r bylchau enfawr o gwmpas y drws, edrychai fel pe bai'n berson arall oedd yn byw mewn byd gwahanol. Yn aml, byddai diferyn o ddŵr yn hongian yn betrusgar ar flaen ei drwyn ac er bod ganddo fenig am ei ddwylo, menig hanner oedd y rheini ac roedd ei fysedd noeth yn las gan oerni. Rydw i wedi meddwl, sawl gwaith ar ôl hynny, sut y byddai'n llwyddo i drawsnewid ei hun fel y gwnâi, a sut y byddai'n llwyddo i edrych mor lân a thrwsiadus a pharchus ar y Sul.

Fesul dipyn, dechreuais ehangu dipyn ar fy myd, gan

fentro gyntaf i Borth Llechog, yna i Ben-y-sarn, Rhosybol, Cemaes, Llanfechell ac i ben Mynydd Bodafon a Mynydd y Garn. Ychwanegwyd at fy ngallu i grwydro wedi i mi gynilo digon o arian i brynu deinamo. Yn y cyfnod hwnnw, gyda'r hen lampau ocsi asetylen yn mynd allan o'r ffasiwn roedd cael deinamo yn un o angenrheidiau bywyd gan mai ar gefn beic yr oedd llawer iawn o bobl yn mynd o le i le. *Miller* oedd gwneuthuriad y deinamo mwyaf poblogaidd ar y farchnad ac un felly oedd gan y rhan fwyaf o fy ffrindiau, ond am ryw reswm, un *Philidyne* oedd wedi bod yn ffenest siop Griff Beics mor hir nes bod ei focs wedi dechrau melynu oedd wedi apelio ataf fi, a gyda hwnnw dan fy nghesail, a minnau wedi cynhyrfu'n lân, y deuais i yn ôl i'r Corwas un pnawn i'w osod ar yr Hercules. O'i gymharu gyda'r *Miller* roedd y *Philidyne* yn fychan a'r lampau oedd yn rhan o'r set yn ysgafn a thaclus. Cefais wefr fawr wedi i mi lwyddo i'w gael i weithio, er i mi gael trafferth i ddeall sut roedd ffrâm y beic ei hun yn rhan o'r cylched trydan oedd yn sail i'r gweithio hwnnw.

Teithiais filltiroedd lawer yn llewyrch goleuni'r *Philidyne.* Yn y dyddiau pell hynny, gyda goleuadau ar y ffyrdd yn bethau prin, roedd y nos yn dywyll, dywyll, a theithio ar hyd lonydd culion Môn, gyda'u gwrychoedd uchel yn fwgwd oddeutu i mi, y *Philidyne* yn canu grwndi yn erbyn y teiar ôl a'i olau llachar yn agor llwybr gwyn yn y tywyllwch o fy mlaen yn brofiad sydd yn aros yn fyw iawn yn y cof. Bu sawl tro trwstan ar fy ffordd. Cael sawl pwnctiar a gorfod cerdded milltiroedd. Cael fy nal yn y glaw, a dod adref yn wlyb fel sbangi i wynebu cerydd fy mam. Am nad oedd arwyddion a dynnwyd i lawr yn ystod y rhyfel wedi cael eu hadfer a'r tywyllwch wedi dechrau achub y blaen arna'i, mynd ar goll ar y ffordd yn ôl o Gaergybi trwy droi i'r chwith yn Llanddeusant a mynd bellter ffordd i lawr am Borth Swtan cyn sylweddoli 'mod i'n mynd ar gyfeiliorn. Yn gymysg â'r atgofion llai melys hynny, mae hefyd doreth o rai na all geiriau ddechrau cyfleu eu hyfrydwch.

Ymhlith y rheini, mae'n debyg nad oedd yr un yn hafal i'r daith y byddwn i a nifer o fechgyn eraill yn ei gwneud i Goed y Gell yn ystod wythnos hanner tymor yr Hydref. Roedd yr hydrefau hynny, bob un, yn rhai melyn, melys, pan oedd yr haul yn tywynnu'n ddi-ffael, yr awyr yn las ac yn ddi-baid, ddigwmwl, a blinder yn air nad oeddwn i'n gwybod beth oedd ei ystyr. Cyn cychwyn roedd angen holi am gyflwr y llanw a gwneud yn siŵr ein bod ni'n cyrraedd Traeth Dulas ar amser addas gan mai dim ond yn ystod cyfnod y trai yr oedd modd ei groesi ar droed.

Gyda'n bagiau ysgol ar ein cefnau, a'r llyfrau *geography, chemistry, English a Welsh* wedi'u rhoi o'r neilltu am y tro, roedden ni'n mynd heibio i garej y Grogan ac wedyn yn dringo bob cam o'r ffordd, bron, at y Cerrig-mân a Phen Croesau nes cyrraedd Pen-y-sarn. Yna roedd rhaid wynebu allt fwy serth o lawer a dringo honno'n araf nes i ni gyrraedd pen Nebo. Yno, wedi i ni aros am ychydig funudau i gael ein gwynt atom byddai holl banorama i gyfeiriad y de yn ein cyfarch, ond yr hyn oedd yn fwy deniadol na hynny i ni oedd yr allt o'n blaenau oedd yn ein gwahodd i wibio ar ei hyd yr holl ffordd i lawr i Ddulas. Gyda'r awyr gynnes yn parhau i fod yn llawn o chwiws, byddai angen culhau'r llygaid, gwyro'n pennau'n isel dros y llyw a chwyrlïo mynd, yn union fel y mwg tatws hwnnw y byddai Daid Llan yn sôn amdano, heibio i eglwys Llanwenllwyfo nes i ni gyrraedd pen draw'r ffordd a gwastadedd melyn y traeth. Am nosweithiau cyn mentro ar y daith hon byddai rhestr o bryderon yn cyniwair yn fy meddwl, yn enwedig pan oeddwn i'n gorwedd yn fy ngwely. I ddechrau, byddai fy nhad yn fy siarsio i fod yn ofalus wrth groesi'r traeth ac i fod yn wyliadwrus rhag ofn i'r llanw fy nal fel na allwn ei groesi'n ddiogel ar y ffordd yn ôl. Yn ail, roedd *Helynt Coed y Gell* yn dal i fod yn fyw iawn yn fy nychymyg, ac ofnadwyaeth yr ogofau sinistr oedd i fod yn rhywle yn y coed, yn ogystal â'r cymeriadau annymunol oedd yn mynd a dod iddyn nhw, yn fy mhoenydio. Ac yn drydydd roedd rhai o'r bechgyn wedi cael y syniad yn eu pennau bod rhyw gipar blin yn gofalu am Goed y Gell a'n bod ni'n tresmasu wrth fynd yno. Ond wedi cyrraedd pen ein taith roedd y rheini, rywsut, yn cael eu gwthio o'r neilltu.

Ar lawer ystyr mae Traeth Dulas yn unigryw a'r disgrifiad ohono a geir yn *Helynt Coed y Gell* yn un priodol iawn.

> Ar gwr gogledd-ddwyrain Ynys Môn y mae traeth gwastad a lleidiog a elwir Traeth Dulas. Y mae'r traeth hwn tua dwy filltir o hyd, a thua hanner hynny o led yn ei fan letaf. Daw'r môr i mewn iddo trwy agorfa gul, agorfa y gellir taflu carreg drosti'n rhwydd yn ei man gulaf. A phan fo'r llanw yn dyfod i mewn neu'n myned allan, gwesgir y dŵr yn yr agorfa hon i le cyfyng nes bod y llif yn hynod o gryf a gwyllt. Y mae Traeth Dulas ar ffurf swch, ac wrth edrych arno buasai un yn gallu dychmygu bod y môr wedi penderfynu aredig Ynys Môn ar ei thraws ac wedi cychwyn trwy blannu ei swch yn ddwfn yn ei hochr. Ac yn drawiadol iawn, ar un ochr i'r traeth cyfyd bryn serth i uchder o tua phum can troedfedd neu fwy, fe pe byddai'r swch wedi ei droi i fyny. O gopa'r bryn yn ei fan uchaf a mwyaf serth gellir yn rhwydd daflu carreg i'r traeth islaw. Ar y llethr yn wynebu'r traeth tyf coed cyll mawr a thrwchus. Y llethr hwn ynte yw Coed y Gell.

Yn amlach na pheidio, fyddai dim enaid byw i'w weld yn unman a gyda gwyrddni Coed y Gell yn ein hudo ymlaen, sŵn y môr yn y pellter ac ambell i gylfinir yn galw ar ei chymar yn rhywle, byddem yn ei throedio hi ar draws y tywod nes cyrraedd y fan lle mae'r Afon Goch – neu Afon Dulas a rhoi ei henw gwreiddiol iddi – yn hollti'r traeth yn ddau ar ei ffordd tua'i haber a'r môr. Yn rhyfeddol, mae'r Afon Goch hon, hefyd, yn tarddu o Fynydd Parys, ond o'r Gors Goch, ar ochr ddeheuol y mynydd hwnnw yn hytrach nag o'i grombil. Yn y dyddiau gynt, cafodd rhannau o'i llwybrau uchaf eu haddasu a'u gwneud yn byllau cynhyrchu copr, ond erbyn blynyddoedd fy mhlentyndod, yn wahanol i'r un sy'n llifo trwy ganol Amlwch, roedd ei ddyfroedd wedi eu hadfer i'w cyflwr gwreiddiol ac yn groyw lân. Ac er ei bod hi'n ganol mis Hydref, a rhyw fymryn o frath yn yr awel roedd ei dŵr yn teimlo'n gynnes braf o gylch fferau criw o fechgyn nad oedd ganddyn nhw amser i wneud dim mwy na'i ffrydio a phrysuro yn eu blaenau at eu nod. Mewn dim o dro ar ôl hynny byddem yn dringo'r llethrau serth i ganol y coed cyll gan edrych o'n cwmpas, bob eiliad, rhag ofn i'r cipar enbyd hwnnw y clywson ni sôn amdano yn dod ar ein gwarthaf ac yn gwaredu ar yr un pryd rhag ofn i'n llwybrau drwy'r drysi ddod â ni at enau rhyw ogof dywyll a bygythiol. A dweud y gwir, yr unig greadur byw a ddangosai ei hun i ni oedd ambell i wiwer goch ac mewn byr o dro byddai'r bagiau yn llawn a ninnau'n ei heglu hi draw ar draws y tywod unwaith eto cyn i'r llanw 'cryf a gwyllt' y soniodd G Wynne Griffith amdano ein dal. Byddai'r cynhaeaf blasus oedd yn ein bagiau, neu rannau ohono, beth bynnag, yn mynd gyda ni i'r ysgol am ddyddiau wedi hynny gan roi straen enbyd ar ein dannedd ni ac ar ddannedd pawb a gâi rannu peth o'n hysbail hefo ni.

Y BRADFORD [BY JOWETT]

Ar ddiwedd y rhyfel, a gan bwyll bach, wrth i'r ffatrïoedd a feddiannwyd i gynhyrchu arfau rhyfel ddechrau troi eu golygon at bethau amgenach, dechreuodd rhagor o geir, a'r rheini'n geir newydd, ymddangos ar strydoedd a fu'n dawel am gynifer o flynyddoedd. Erbyn hynny roedd dyddiau hen *Hillman* y Corwas yn dirwyn i ben, ac roedd rhyw nam arno byth a hefyd. Uchelgais fy nhad oedd cael fan yn hytrach na char i ddibenion y busnes, ond gan fod cymaint o alw, roedd cael gafael ar gar newydd o unrhyw fath yn anodd iawn. Yn y diwedd bu raid i Daid Llan, oedd yn Rhyddfrydwr i'r carn, apelio'n uniongyrchol at ei Aelod Seneddol, sef y Foneddiges Megan Lloyd George. Aeth rhai wythnosau heibio heb i ddim ddigwydd, ond yna, un bore, yn 1947, daeth llythyr yn dweud bod fan newydd ar gael i ni a bod angen mynd yr holl ffordd i Brestatyn, yn Sir y Fflint, i'w cheisio. Cofiaf fy nhad a minnau'n cyrraedd stesion y dref honno ac yn cerdded i fyny'r Stryd Fawr nes i ni gyrraedd garej Vincent Smith a'i gwmni ym mhen uchaf y dref. Ac yno, yn ei holl ogoniant, roedd y fan *Bradford [by Jowett]* â'i phaent glas tywyll yn disgleirio yng ngolau'r haul, yn disgwyl amdanon ni. Yn fy nghynnwrf y bore hwnnw fyddai neb ar wyneb daear wedi llwyddo i fy mherswadio mai'r hyn a safai o fy mlaen oedd y cerbyd mwyaf amrwd ac anghyfforddus y rhoddwyd pedair olwyn dano erioed.

Y fan hon oedd y cerbyd cyntaf i'w gynhyrchu gan gwmni Jowett yn nhref Bradford ar ôl y rhyfel. Yn ddiweddarach yn 1947 lansiodd yr un cwmni gar salŵn pur chwyldroadol a llwyddiannus o'r enw *Jowett Javelin*, ond yn achos y Bradford, tremio yn ôl yn hytrach nag ymlaen a wnâi'r cwmni. Erbyn hyn rydw i wedi argyhoeddi fy hun na chafodd fy nhad unrhyw ddewis, bod rheidrwydd arno i dderbyn cynnig y Foneddiges Lloyd George ac nad oedd ganddo unrhyw syniad am wir natur y cerbyd newydd oedd yn dod i'w feddiant. Mae'n ymddangos bod cwmni Bradford wedi bod yn cynhyrchu'r union fodel o'r fan yn ystod y blynyddoedd cyn y rhyfel a'i bod, hyd yn oed y pryd hynny, yn hen ffasiwn ryfeddol o ran ei dyluniad a'i pheirianneg. Dau silindr oedd i'r peiriant, un y bu'r cwmni yn ei gynhyrchu, heb wneud fawr ddim newid iddo, ers 1910. Roedd ei ddau silindr wedi eu gosod yn llorweddol, yn wynebu ei gilydd, ar gynllun yn un ffunud â'r un sydd i'w weld ym meiciau modur cyfoes cwmni BMW. Roedd yn ddifrifol o ddi-blwc, a dim digon o rym ynddo, fel y byddai fy nhad yn dweud, i 'dynnu croen oddi ar bwdin reis'. Ond nid y peiriant oedd yr unig un o ffaeleddau'r Bradford. Roedd ei siasi yn dibynnu ar sbringiau dalennog hanner eliptig, gyda phob dalen ynddyn nhw yn debyg iawn i'r un a ddefnyddiodd Mr Barbargli i lunio twca ohono i Daid Llan. Gan fod sbringiau o'r fath yn mynd yn ôl i ddyddiau'r drol a'r goets fawr, roedd teithio yn y Bradford yn brofiad ysgytlyd ac anghyfforddus tu hwnt. Ac i wneud pethau'n waeth fyth, roedd y nam lleiaf un ar wyneb y ffordd yn gwneud i'r drysau, y ffenestri a phopeth arall yn y fan ysgwyd yn swnllyd. Gwell fyddai peidio â sôn am y gerbocs nad oedd unrhyw *syncromesh* ar ei gyfyl gan i hwnnw beri loes i bawb a fu wrth lyw'r Bradford dros y degawd neu fwy y bu hi'n cario cig yn y Corwas. Calla dawo fyddai'r gorau, hefyd, o safbwynt y system frecio! Fe'i seiliwyd ar yr egwyddor a fabwysiadwyd gan y gwneuthurwr ceir, Syr Herbert Austin, a ddywedodd nad oedd yn deall y peth pan glywodd rhywun yn beirniadu breciau un o'i geir. Yn ôl Syr Herbert, yr unig bobl oedd yn cwyno am bethau felly oedd pobl oedd yn gyrru'n rhy gyflym.

Ond ar waethaf ei holl ffaeleddau roedd fy nhad yn meddwl y byd o'r *Jowett,* yn tueddu i wfftio ei diffygion ac yn sicrhau bod ei thu mewn a'i thu allan fel pin mewn papur bob amser. Yn y gaeaf, pan fyddai'r ffyrdd mwdlyd i rai o'r ffermydd wedi baeddu ei gwaelod, byddai o a minnau yn mynd trwy ddefod boenus yr oedd yr hyn a elwid yn *stirrup-pump* yn ganolog iddi. Pwmp dŵr oedd yr un dan sylw a thra byddai fy nhad ar ei bengliniau yn cropian o gwmpas y fan yn glanhau oddi tani gyda phen arall y beipen fy nhasg oedd sefyll yn nŵr yr Afon Wen, yn pwmpio fel coblyn. Yr unig wobr a gawn i am fy ymdrechion oedd y fraint o gael gwisgo wellingtons fy nhad yn nŵr yr afon.

Ceir Prydeinig oedden nhw gan fwyaf, sef *Morris* neu *Austin* neu *Hillman* neu *Triumph,* ond roedd rhai unigolion yn Amlwch, fel Mr Mathias, trafaeliwr y Gwaith Baco, yn fwy anturus na'r rhan fwyaf o drigolion Môn ac yn llwyddo i gael gafael ar geir tramor pan oedd y rheini yn bethau prin ac anghyffredin. Pan na fyddai ar grwydr yn casglu archebion, arferai barcio ei gar ar y llecyn tir o flaen ei swyddfa ac yno am y tro cyntaf y gwelais i geir oedd yn gynhyrfus ac yn esoterig o wahanol. Cofiaf iddo fod yn berchen ar *Fraser-Nash, Citroën* ac *Alfa Romeo* ac am fod y *Citroën* mor wahanol i'r lleill i gyd roedd yn fy nghyfareddu. Ychwanegwyd at fy nghyfaredd pan ddywedodd rhywun bod cwmni *Citroën* yn cynnig gwobr o fil o bunnau i unrhyw un a fyddai'n gwneud i'r *Citroën Avant* droi drosodd. Ar fwy nag un achlysur, cofiaf i Mr Mathias ddod allan o'i swyddfa ar ôl iddo fy ngweld yn stelcian o gwmpas ei geir ac yn fy ngwahodd i eistedd yn sedd y gyrrwr. Iddo ef, ac i Daid Llan, mae'n debyg, y mae priodoli'r ffaith fy mod i'n dioddef hyd y dydd heddiw o glefyd ynfyd y car.

Rywbryd ar ôl i'r caethiwed a orfodwyd arnon ni gan y rhyfel ddod i ben, llwyddodd crefu cyson fy mam a ninnau'r plant i berswadio fy nhad i fynd â ni, fel teulu, 'allan am y diwrnod'. Hyd y cofiaf, dim ond ar ddau achlysur y llwyddodd hi i oresgyn ei gyndynrwydd. Y tro cyntaf, o bob man yn y byd, penderfynodd mai Castell Gwrych fyddai'n cyrchfan gan mai yno, ar y pryd, yr oedd y paffiwr Bruce Woodcock yn paratoi ar gyfer un o'i ornestau. Er bod seddau o ryw fath wedi'u gosod yng nghefn y *Bradford [by Jowett]*, rhai digon tila ac anghysurus oedd y rheiny, ac wrth i ni fynd yn ein blaenau ar ein siwrnai swnllyd gydag ysgytian syspension y *Bradford [by Jowett]* yn ceisio malurio pob asgwrn yn ein cyrff aeth y pedwar ohonon ni, oedd wedi'n gwasgu yn y cefn, yn fwy a mwy anystywallt a swnllyd. Roedd hynny ynddo'i hun yn ddigon o dreth ar amynedd fy nhad, ond aeth pethau'n saith gwaeth wedi i ni gyrraedd Conwy. Yno bu raid disgwyl am yr hyn a ystyriai fy nhad yn hydoedd i groesi'r hen bont grog gan fod yno dagfa anferthol o gymaint â phedwar car o'n blaenau. Hyd yn oed wedi i ni lwyddo i ymlwybro trwy hwnnw, roedd yn cwyno'n barhaus am fod un neu ddau o geir eraill ar y ffordd a ninnau'r plant wedi dechrau teimlo bod hon yn daith nad oedd diwedd iddi. Wedi i ni gyrraedd Abergele a Chastell Gwrych o'r diwedd a gwthio'n ffordd trwy'r torfeydd oedd wedi ymgynnull yno, cawsom wybod, er mawr siomiant i 'nhad a chryn ryddhad i bawb arall, nad oedd dim golwg o Bruce Woodcock ar gyfyl y lle ac na fyddai yn debygol o ymddangos yno am rai dyddiau. Aeth pethau o ddrwg i waeth wedi i ni droi am adref yn y diwedd gan fod pawb wedi ymlâdd, y *Bradford [by Jowett]* yn bygwth nogio a thymer mor ddrwg ar fy nhad fel ei fod o wedi gyrru trwy olau coch ym Mae Colwyn, a hynny yng ngŵydd un o geir yr heddlu. Rhaid bod y plismon a roddodd gerydd iddo yn Gymro Cymraeg maddeugar, gan iddo gymryd arno nad oedd wedi clywed yr hyn a ddywedodd fy mam wrtho, sef 'Rydw i yn fy ngwaith yn deud wrtho fo am beidio gyrru, offisyr!'

Ar daith o gwmpas Pen Llŷn yr aed â ni ar yr ail achlysur ond gan fod y profiadau chwithig gyda'r *Bradford [by Jowett]* ar y daith i Abergele wedi serio'u hunain am byth ym meddwl fy nhad, penderfynodd y tro hwn y bydden ni'n cael teithio mewn cerbyd amgenach, a threfnodd i logi *Austin 12* o Garej Grogan am y diwrnod. Prin y gallen ni'r plant gredu ein lwc. Yn y dyddiau hynny roedd yr *Austin,* o'i gymharu *â'r Bradford [by Jowett]* ym mhen arall y sbectrwm moethusrwydd a'r moethusrwydd hwnnw mor eithafol fel bod ynddo sedd go-iawn i'r sawl oedd yn teithio yn ei gefn. Bu'r daith yn rhyfeddol ddidramgwydd nes i ni gyrraedd y drofa ar ffordd Pwllheli lle mae angen troi i'r dde i fynd i fyny trwy bentref Llanaelhaearn i gyfeiriad Nefyn, ond yno wrth i ni fynd i fyny'r allt serth y tu uchaf i'r pentref cafodd 'Nhad gam gwag wrth geisio newid gêr a dechreuodd y car rowlio'n ôl, i lawr yr allt. Roedd sgrechfeydd fy mam yn ddigon i wneud i'r car fynd wysg ei gefn yr holl ffordd yn ôl i wastadeddau Môn ac erbyn i 'Nhad lwyddo i godi lifar y brêc roedd pawb ohonon ni wedi dychryn am ein bywyd. Afraid dweud na fu lawer o siâp ar weddill y diwrnod ar ôl hynny a byddaf yn meddwl bod yr helynt hwnnw a siomiant methu gweld Bruce Woodcock y tro cynt wedi argyhoeddi fy nhad mai yn y siop ac wrth ei waith, ac nid yn crwydro'n ddiamcan, yr oedd ei le.

YR HEN FÔR YNA . . .

Ar waethaf y profiad chwithig hwnnw a gefais i pan oeddwn i'n ieuengach, pan seriwyd realiti un o ddywediadau fy mam, sef 'Dydi'r hen fôr yna ddim yn beth i chwarae hefo fo' yn fy nghof, roedd yr union fôr hwnnw yn un arall o fydoedd canolog a phwysicaf fy mhlentyndod. Yn y rhan yma o Fôn mae'r arfordir yn greigiog arw ac yn tystio i ryw ferw o wallgofrwydd daearegol cynoesol. Mae'r creigiau sy'n ei ffurfio yn ddanheddog ac maen nhw wedi'u gosod ar oleddau anghyson a phlithdrafflith, gyda'u bonion wedi eu claddu yn y dyfnder, a'u brigau geirwon yn dod i'r wyneb yma ac acw fel petaen nhw'n rhan o safn rhyw greadur anferthol sydd wedi codi o'r eigion. Dydi'r ychydig draethau sydd i'w gweld rhyngddyn nhw yn fawr mwy na llyfiad llo o dywod. Yn wir, yn yr holl ddarn o arfordir sy'n ymestyn rhwng Llam Carw a Phorth Llechog, does dim ond dau draeth gwerth sôn amdanyn nhw. Traeth Dynion yw enw swyddogol un ohonyn nhw, er mai Lan-môr-llan, neu 'Lamorllan' oedd ein henw ni'r plant arno, a Phorth y Garreg Fawr yw'r llall. Er nad yw Lamorllan, hyd yn oed ar y distyll, yn fawr o beth i gyd, ar ben llanw, mae'r plisgyn creigiau sydd o'i gwmpas a'r dyfnder sydd ynddo – rhwng deg a phymtheg troedfedd – yn ddigonol i gynnig her i unrhyw nofiwr neu blymiwr.

Mae Lamorllan a Phorth y Garreg Fawr fel ei gilydd yn bur anodd i'w cyrraedd. Rhaid cerdded i lawr ugain neu fwy o risiau i fynd i lawr i Lamorllan. Tua chwarter milltir oddi wrtho, yng nghysgod y mymryn poncen a elwir Ponc Jim, y mae Porth y Garreg Fawr. Mae hwnnw, hefyd, yn bur anhygyrch ac mewn cil haul am gyfran helaeth o'r dydd. Mae Lamorllan, ar y llaw arall, yn llygad yr haul.

Roedd mynd i nofio, neu 'i drochi' fel y bydden ni'n dweud, yn bwysig iawn i ni'r plant, a doedd dim angen mwy na rhyw lewyrch o haul annisgwyl yn gynnar ym Mai i'r ysfa flynyddol i drochi ddechrau ein poenydio. Yn ôl Mam doedd wiw i neb fynd ar gyfyl dŵr y môr nes y byddai blodau'r ddraenen wen wedi gwywo, ond doedd hwnnw ddim yn gyngor a fyddai'n cael y sylw oedd yn ddyladwy iddo bob amser. Yn Lamorllan y dysgais i nofio, ond fel gyda dysgu darllen, mae'r cof am y dysgu hwnnw yn fregus ac annelwig. Mae mentro a hen diwben o olwyn car yn rhan o'r stori. Yn sicr, doedd dim hyfforddiant ar gael ar wahân i'r un oedd yn seiliedig ar efelychu ymddygiad plant eraill. Y ffactorau creiddiol oedd gradd uchel o gymhelliant – doedden ni ddim yn adnabod neb oedd yn methu nofio, gweld eraill yn nofio – ynghyd â'r ffaith mai ar lan y môr y treuliai'r rhan fwyaf o blant yr ardal eu hafau. Roedd bod yno, heb fedru nofio, bron yn gyfystyr â pheidio bod yno. I mi, digwyddodd y wyrth yn rhyfeddol o sydyn. Un munud, doeddwn i ddim yn gallu nofio, a'r funud nesaf roedd y dŵr yn fy nghynnal ac yn caniatáu i mi symud ar ei wyneb yn gymharol ddiymdrech.

Doedd dim llawer o breifatrwydd yn perthyn i drefn y nofio yn Lamorllan. Ar y creigiau y bydden ni'n newid ac yn cadw ein dillad gan wneud yn sicr ein bod yn eu gadael yn ddigon pell o afael y llanw. Er 'mod i dan yr argraff nad oedd hynny'n poeni llawer iawn ar y bechgyn eraill roedd cyflyru a thynnu coes cyson fy Modryb Jane wedi cael effaith arna'i a finnau wedi argyhoeddi fy hun mai fi oedd y bachgen teneuaf yn y fro. Am flynyddoedd, lle i guddio'n ddiolchgar ynddo oedd dŵr y môr, sef lle nad oedd fy mreichiau a fy nghoesau tenau yn y golwg i neb ond y mân bysgod a nofiai o fy nghwmpas. Problem arall oedd yn fy mhoenydio oedd amharodrwydd fy nghroen i newid lliw yn llewyrch yr haul. Tra oedd croen rhai o'r bechgyn eraill yn troi yn lliw brown cyn gynted ag y byddai'r haul yn gwawrio, bron, y cyfan a gawn i, o roi fy nghroen yn ei lewyrch, oedd cyfres o swigod coch a phoenus ar fy nghefn.

Ond ar waethaf y niwrosis hwnnw roedd y mwynhad a'r hwyl a gaen ni, yn griw byrlymus a hoenus, yn ddiddiwedd. Er bod y dŵr yn oer a'n cyrff, yn aml, yn un o groen gŵydd, roedd ei freiniau a'i foethau yn ddigon i'n cadw ni'n ddiddig am oriau dirifedi. Doedd dim terfyn ar ein dyfeisgarwch pan fyddai'n benllanw, a'r môr yn llenwi Lamorllan at ei ymylon. Weithiau byddem yn mentro gam neu ddau i fyny'r graig uchel sydd ar un ochr i Lamorllan, sef yr un y byddai'r bechgyn mawr yn plymio o'i chopa, yn cau'n llygaid yn dynn ac yn neidio i'r gwagle wysg ein traed i ddisgwyl am goflaid sydyn a chaled y dŵr. Dro arall roedden ni'n ymryson â'n gilydd i weld pwy allai aros hiraf dan yr wyneb, yn dal ac yn dal yr anadl a chlywed y galon yn curo'n gyflymach, gyflymach wrth i grefu'r corff am ocsigen ddechrau ei llethu. Ac roedd nofio dan y dŵr yn un o'r campau mwyaf cynhyrfus. Dysgu dal y pen i lawr er mwyn mynd am y dyfnder, clywed y dŵr yn fwgwd am fy wyneb, ei gytgan yn cynyddu yn fy nghlustiau a gweld fy nwylo a fy mreichiau a melyn annelwig y tywod yn y dyfnder o fy mlaen. Pen i fyny wedyn, gyda'r anadl yn prinhau, a chyrchu'r goleuni, yr wyneb, a chael ymwared wrth lyncu llond ysgyfaint o awyr iach. O dan y dŵr roedd rhyw deyrnas arallfydol yn bodoli, teyrnas lle nad oedd sŵn ar wahân i ru'r dŵr yn fy nghlustiau, lle roedd y

gwymon a phopeth a welwn wedi'i ystumio gan yr heli yn fy llygaid a düwch swreal y creigiau o fy nghwmpas, yn union fel petawn i ynghlo mewn rhyw gragen anferthol. Tarzan, ar lun Johnny Weissmuller oedd ein harwr ni, dyn a allai nofio dan y dŵr am hydoedd a lladd crocodeilod hefo'i ddwylo. Ond yr unig grocodeilod yn Lamorllan oedd y rhai roeddwn i'n brwydro hefo nhw yn nyfroedd fy nychymyg a'r unig wrhydri roedden ni'r bechgyn yn gallu ei gyflawni oedd plymio i'r môr i chwilio am y ceiniogau y byddai'r bobl ddieithr, ambell dro, yn eu taflu i'r dwfn.

Am ryw reswm, doedd dim un nofiwr yn ein plith ni'r bechgyn yn ystyried ei hun yn gwbl gymwys nes y byddai wedi bwrw'i brentisiaeth ac wedi magu digon o nerth, dycnwch a phlwc i nofio'r chwarter milltir o fôr o Lamorllan i Borth Carreg Fawr ar ben llanw. I wneud hynny roedd gan rywun ddewis. Y llwybr mwyaf union-gyrchol oedd nofio mewn llinell syth ar draws canol y bae rhwng y ddau draeth. Problem y dewis hwnnw oedd bod rhywun yn gorfod mynd yn eithaf pell oddi wrth y lan a'r hen fwgan hwnnw, y clymau chwithig, yn llercian ym meddwl rhywun, bob cam o'r ffordd. Y dewis arall oedd nofio gen ochr y creigiau a thrwy'r bwlch cyfyng rhwng Craig Bob Morgan a'r lan, sef y sianel gul oedd â'r enw Pwll Tarw arni. Llwybr cyfyng oedd yr un trwy'r bwlch hwnnw, a'r gwymon oedd yn tyfu ar y creigiau o boptu iddo yn bygwth clymu ei hun am ein coesau a'n breichiau a bod yn rhwystr gwirioneddol.

Ar ôl barbwr y dref, Bob Morgan, y cafodd y graig ei henwi. Rywbryd yn ystod gorffennol nad oedd neb yn sicr am ei hyd a'i led, roedd Bob Morgan wedi cyflawni camp nad oedd neb arall wedi meiddio ceisio ei hefelychu ac wedi plymio i'r môr oddi ar ei chopa. Mae'r graig yn un sy'n codi cryn ddeugain troedfedd o'r môr ac mae hi ar ffurf tri thŵr pigfain. Wrth edrych arni o un cyfeiriad mae hi'n ymdebygu i dri dant llygad anferthol sy'n sefyll ochr-yn-ochr â'i gilydd gyda gweflau du y gwymon yn dynn am eu bonion. Mae ei hochrau'n enbyd o arw a chiaidd yr olwg a'r hyn sy'n gwneud plymio oddi arni yn beryglus ryfeddol yw'r ffaith ei bod hi'n goleddfu tuag at greigiau'r arfordir a hynny'n golygu mai dim ond i un cyfeiriad y mae modd neidio o'i chopa. Ac os oedd Pwll Tarw yn rhyw gymaint o rwystr i ni'r nofwyr, roedd yn ddifrifol o gyfyng i ddeifiwr. Dim ond rhywun gyda gradd helaeth o wroldeb os nad rhyfyg yn ei waed fyddai wedi mentro gwneud y fath beth. Felly os oedd rhywun yn haeddu i graig gael ei henwi ar ei ôl, Bob Morgan oedd hwnnw.

Pan fyddwn i'n eistedd yn y gadair yn Siop Bob Morgan i gael torri fy ngwallt, gyda'r darnau blew yn cosi fy ngwegil ac arogl y *pomade* a'r *Brylcreem* a'r mwg baco yn llenwi fy ffroenau, roedd hi'n anodd credu mai'r gŵr oedd yn trin y sisyrnau a'r crib gyda'r fath fedrusrwydd oedd y dyn ifanc eofn a lwyddodd i gyflawni'r weithred ryfeddol honno. Weithiau roedd hi'n anodd cyplysu'r ddelwedd o ffigwr unig yn plymio i lawr o'r uchder brawychus hwnnw gyda'r gŵr trwm ei glyw oedd yn trin fy ngwallt ac yn picio tu ôl i'r llenni yng nghefn y siop bob hyn a hyn i gael llymaid o ryw hylif neu'i gilydd, neu i ôl pecynnau bychan dirgel i rai o ddynion y dref a ddeuai'n llechwraidd i'r siop yn unswydd i'w ceisio. Ac wrth i mi gerdded i fyny'r llan yn ôl am y Corwas rhyw bethau felly fyddai'n mynd trwy fy meddwl ond byddai'r dŵr oer y mynnai fy mam ei roi ar fy ngwar, rhag ofn i mi gael annwyd, yn dod â mi at fy nghoed yn fuan iawn.

Un pnawn bythgofiadwy, digwyddodd rhywbeth rhyfeddol rhwng Lamorllan a Phorth Carreg Fawr a phrin y gallwn i gredu'r hyn a'm hwynebai pan gyrhaeddais i lan y môr. O fy mlaen, roedd yr olygfa yr arferwn ei gweld wedi'i gweddnewid yn llwyr a lle gynt yr oeddwn i wedi arfer â gweld dŵr, yr oedd cyfwlch anferthol o draeth ac o dywod melyn. Y pnawn hwnnw, am yr unig dro yn fy mywyd, medrais gerdded o Lamorllan i Borth Carreg Fawr heb wlychu dim ar fy nhraed gan ryfeddu mwy a mwy at y ffaith bod y tywod mor wastad a heb olwg o graig yn brigo trwyddo yn unman. Mae'n debyg bod eglurhad gwyddonol digon amlwg am yr hyn a welwn, ond i mi roedd y cyfan yn gwbl wyrthiol a'r unig gyffelybiaeth y gallai fy meddwl ddod o hyd iddi oedd un rhwng yr hyn a welwn i a'r stori Feiblaidd am Foses a'i ddilynwyr yn croesi'r Môr Coch. Yn ddiddorol iawn, Llanw Coch Awst oedd enw'r hen bobol ar y ffenomen. Y flwyddyn honno rhaid bod y trai a achosodd y Llanw Coch yn un pur nodedig.

Y môr, hefyd, oedd canolbwynt math arall o fyd yr oeddwn i'n trigo ynddo yn ystod fy mlynyddoedd cyntaf yn yr ysgol uwchradd. Roedd un o fy ffrindiau, Glyn Griffiths [Glyn *Bull*], yn fab i longwr, a rywbryd yn ystod y cyfnod hwn cafodd afael ar delesgop eithaf pwerus a oedd yn eiddo i'w dad. Ffocws ein sylw, a'r hyn a gyneuodd ein diddordeb oedd y cwch peilot, sef y *Liverpool Pilot Boat* a oedd wedi'i leoli yn ymyl yr arfordir rhwng Trwyn Porth Llechog a Thrwyn y Leinws. Dyma'r cyfnod pan oedd Lerpwl, gyda'r gamlas longau oedd yn ei gysylltu gyda Manceinion, yn un o borthladdoedd prysuraf Prydain, a nifer fawr o longau yn mynd a dod iddo o bedwar ban byd. Problem fawr Lerpwl oedd ceg yr Afon Mersi, ac oherwydd bod y sianel a arweiniai i mewn iddi yn gul a'i dyfroedd yn fas byddai unrhyw long a grwydrai oddi ar y llwybr penodedig yn debygol o fynd yn erbyn y gwelyau tywod anweledig sydd ar bob tu i'r sianel. Oherwydd hynny, roedd yn ofynnol i'r llongau mawr a hwyliai i mewn ac allan o borthladd Lerpwl fod yng ngofal un o'r peilotiaid a gyflogid gan y *Mersey Docks and Harbour Board*, ac ni châi unrhyw long hwylio i neu o Lerpwl os nad oedd peilot cymwys ar ei bwrdd. Ar ysgwyddau'r dynion medrus hyn y gorweddai'r cyfrifoldeb am ddiogelwch unrhyw long oedd yn hwylio ym mharthau'r aber a'r afon.

Yn y blynyddoedd hynny, roedd yr holl beilotiaid yn cael eu lleoli ar fwrdd y cwch peilot, a phob llong oedd ar y ffordd i Lerpwl, neu'n hwylio ohono, yn gorfod dod yn agos at lannau Môn un ai i godi peilot neu i ollwng yr un oedd wedi dod â nhw o'r porthladd. Wedi i'r llongau mawr ddod yn ddigon agos at y cwch peilot byddai'r dynion yn cael eu cludo ar draws y darn o fôr oedd yn gwahanu'r ddwy long mewn cwch bychan. Ar dywydd mawr gallai'r daith fer honno fod yn eithriadol o beryglus, gyda'r perygl mwyaf yn wynebu'r peilotiaid wrth iddyn nhw geisio neidio o'r cwch bach a dringo i fyny'r ysgol i fwrdd y llong fawr. Serch hynny, dim ond yn anaml, pan fyddai'r tywydd yn wirioneddol stormus, y byddai'r cwch peilot yn gorfod cilio i Fae Moelfre ac yn 'mochel yno i wneud ei gwaith.

Felly, yn lle casglu stampiau, hen geiniogau neu wyau adar, yr hyn a âi â bryd y criw yr oeddwn i'n rhan ohono, oedd casglu enwau llongau. Arfogem ein hunain bob blwyddyn gyda chopi o'r llyfryn oedd yn cynnwys amseroedd y llanw, a byddai un ohonon ni yn 'morol, bob bore, i chwilio tudalennau'r *Liverpool Daily Post* a oedd, y pryd hynny, yn rhestru enw pob llong oedd ar ei ffordd i Lerpwl neu oddi yno. Ond y peth pwysicaf un, ar wahân i'r telesgop, oedd y llyfr cofnodi a gadwai pob un ohonon ni. Yn y llyfr hwnnw, byddem yn rhestru enw'r llong, enw'r cwmni yr oedd hi'n perthyn iddo, dyddiadau ac amser ei gweld hi ynghyd â llun ei chorn a'r lliwiau oedd arno. Ac ambell waith, os byddai'r llong yn troi allan am y môr mawr yn ddigon buan, fel bod ei styrn yn y golwg, byddai modd inni gofnodi enw'r porthladd lle cafodd hi ei chofrestru.

Am sawl blwyddyn, bu Glyn, a Gwilym T Jones [Brynafon] a William Slade [*Caxton House*] a minnau, waeth beth oedd y tywydd, haf neu aeaf, yn treulio cyfran helaeth o'n hamser hamdden ger y giât fochyn yn Mhen-y-bonc, yn ymyl Bryn Arfor yn disgwyl yn eiddgar am weld llong neu longau'n dod i'r golwg. Oddi yno roedden ni'n medru edrych ar hyd yr arfordir, heibio i'r Ynys a Thrwyn y Costog, heibio i Lam Carw a Phorth yr Ychain a chyn belled â Thrwyn y Leinws. O'r cyfeiriad hwnnw y deuai'r llongau oedd wedi hwylio o Lerpwl. Weithiau byddai'r llongau o'r cyfeiriad arall, sef y rhai oedd yn hwylio i mewn i Lerpwl o'r gorllewin yn dod i'r golwg ar y gorwel pell tu draw i Drwyn Porth Llechog ac yna'n anelu eu trwynau i mewn at arfordir Amlwch, a ninnau'n medru eu gwylio, bob cam o'r ffordd nes roedden nhw'n cwrdd â'r cwch peilot. Dro arall, os byddai eu capteiniaid yn weddol fentrus, roedden nhw'n dynesu at yr arfordir ar ôl mynd heibio i Ynys y Moelrhoniaid a'r olwg gyntaf fydden ni'n ei chael arnyn nhw oedd gweld pennau eu mastiau yn dod i'r golwg yr ochr draw i Drwyn Porth Llechog. Pan oedden nhw mor agos i'r lan â hynny, mater hawdd oedd darllen yr enw ar y bow unwaith y byddai hwnnw'n dod i'r golwg. Wedyn byddai angen disgwyl i'r llong gyrraedd y cwch peilot cyn iddi droi ei chefn aton ni a hwylio allan i'r môr mawr unwaith eto. Mater o fod yn amyneddgar oedd hi'n aml iawn. Weithiau byddai'r llongau a restrwyd yn y *Daily Post* yn dod i'r golwg ar yr union amser yr oedden ni wedi'i ragweld. Dro arall byddai rhyw long annisgwyl na fu sôn amdani yn unman yn ymddangos. Roedd y tywydd, cyflwr y llongau – gan gynnwys cyflwr ac eglurder eu henwau i gyd – yn ffactorau a allai effeithio ar ein gallu i gofnodi eu manylion. Fel rheol byddai'r daith rhwng aber y Ferswy ac Amlwch yn cymryd tua theirawr ac o wybod amser y penllanw yn Lerpwl fe wydden ninnau pryd i'w heglu hi am Ben-y-bonc. Yn eu tro daeth llongau o bob lliw a llun yn rhan o'n llyfrau cofnodi, a'r rheini'n llongau oedd yn perthyn i rai dwsinau o gwmnïau llongau mwya'r byd. Yn eu plith roedd llongau Shell, Esso, Cunard, Manchester Line, White Star, Blue Funnel ac Elder Dempster. Dros y blynyddoedd daeth y rhai mwy rheolaidd eu mordeithiau yn rhai yr oedden ni'n eu hadnabod fel hen ffrindiau. Roedd un ohonyn nhw, yr *Apapa,* yn llong yr oedd gen i ddiddordeb arbennig ynddi gan fod John Jones Penterfyn, a ddysgodd ei grefft gan fy nhaid a fy nhad, erbyn hynny yn gweithio fel cigydd arni. Hwyliai yn rheolaidd rhwng Lerpwl ac Affrica. Arwydd o agosatrwydd perthynas John Jones a minnau oedd y ffaith ein bod wedi gohebu â'n gilydd trwy lythyr am sawl blwyddyn wedi iddo adael ei swydd yn y Corwas. Afraid dweud mai'r Saesneg oedd cyfrwng y llythyrau hynny.

Mae'n debyg bod un o fy ffrindiau, William Slade, yn dod o gefndir oedd yn dipyn mwy llewyrchus na chefndir y gweddill ohonon ni. Yn sicr yr oedd yn fwy soffistigedig ac yn destun eiddigedd ymhlith sawl un o'r criw. Mewn cyfnod pan oedd coleri crysau yn eitemau ar wahân i'r crys ei hun, roedd gan William Slade grysau oedd â choler yn rhan ohonyn nhw. Yn fwy rhyfeddol fyth, roedd modd agor blaen crys Wil o'r top i'r gwaelod fel nad oedd angen iddo ei godi dros ei ben i'w dynnu. Yng nghwmni Wil Slade, yng Nghaffi'r Sefton, yr yfais i fy mhaned gyntaf o goffi, y ddiod soffistigedig honno nad oedd neb yn y Corwas yn ei hyfed y pryd hynny!

Ar y Lôn Goch, wrth droi oddi ar Stryd y Frenhines i gyfeiriad Madyn Dusw a'r Borth, roedd siop fara a theisennau'r Sefton gyda'r caffi oedd yn gysylltiol â hi yn yr adeilad agosaf ati. Roedd elfen o urddas a chryn dipyn o steil yn perthyn i'r Sefton ac mae'n debyg nad oedd yno lawer o groeso i unrhyw un oedd â baw gwartheg ar ei sgidiau. Yn un o ffenestri helaeth y Sefton y cafodd Awdl arobryn John Eilian, 'Maelgwn Gwynedd' ei harddangos yn fuan wedi iddo ennill Cadair Genedlaethol Eisteddfod Bae Colwyn yn 1947. Yno, roedd dyfyniadau o'r awdl wedi'u cyflwyno mewn llawysgrifen italig gelfydd ar femrwn o ryw fath gyda'r Gadair yn y canol yn rhoi urddas ychwanegol i'r cyfan. Byddai'n anodd i unrhyw un ddadlau bod 'Maelgwn Gwynedd' ymhlith awdlau mwyaf hygyrch a darllenadwy'r ganrif a hyd yn oed heddiw mae ei hieithwedd a dieithrwch ei geirfa yn bur heriol:

Taer oedd y nos-ddefosiwn ym Mangor emyngoeth ers oriau;
Ionawr oedd hi, a'r Dwyreinwynt ar ofwy dros Ddyfrdwy Ddu.
Ei och yn y tewgoed uchod i bang y byd ymdebygai;
Cynnes, mor gynnes, acenion lluest y Brodyr gerllaw.
Heibio ar wŷs yr Abad, rhywiog ŵr ieuanc a lamai –
Dyn, er y gafrgroen amdano, oedd dal, oedd deyrn ymhob dull.
Heb air, o gynharwch bore i bnawn bu'n ych wrth yr aradr;
Rhag rhysedd, addas yw gweddi, a gwaith rhag tafodau gwŷn.

Maelgwn wrth sain y mawlgor, disyfyd y safodd ac edrych
Yn ddwys ar yr eglwysi, y tai yn y gwyll yn gytûn,
Ar gafell seiri a gofaint, heibio at ysgubod ac odyn,
Mynwent yr hirdrum unig, a maes y creaduriaid mud.

Ond gwnaeth y cyflwyniad a'r ffaith bod llaweroedd o drigolion Amlwch yn tyrru i edrych arno gryn argraff ar fachgen deuddeg oed a aeth yn ôl, sawl gwaith, i eistedd ar sedd ei feic ac i rythu arno trwy'r gwydr. Roedd y ffaith y byddai fy nhaid yn brolio ei fod yn perthyn i John Eilian ac y byddai'n mynd â mi i ymweld â'r teulu, yn eu hen gartref ger Pen-y-sarn, yn ychwanegu'n sylweddol at y chwilfrydedd hwnnw.

Roedd tad William Slade, yn gapten ar long a hwyliai yn ôl a blaen o rai o wledydd Môr y Canoldir yn cario ffrwythau. Un haf, ymhen rhyw flwyddyn ar ôl cyflafan Hiroshima a Nagasaki, cawsom wybod bod Capten Slade wedi cael gafael ar delesgop newydd, bod hwnnw'n un pwerus iawn, ac y byddai modd i ni gael ei fenthyg ar yr amod ein bod yn ei drin gyda gofal mawr. Pan welson ni'r gist oedd yn ei gynnwys, daethom i sylweddoli beth oedd grym yr amod hwnnw gan fod y telesgop ei hun yn anferthol, a bod angen dau ohonom i gario'r gist a'i daliai ac un arall i gario'r treipod. Offeryn o Japan oedd o, ac roedd o'n cael ei ddefnyddio yn ystod y rhyfel i wylio awyrennau. Pres solet oedd ei ddefnydd, a'r lensiau ynddo yn ymddangos yn anferthol o fawr, ac o ansawdd arbennig o dda. Mae'n debyg ei fod o'n gynnyrch un o'r cwmnïau Japaneaidd sydd bellach yn cynhyrchu rhai o gamerâu gorau'r byd ac mae gen i syniad mai cwmni o'r enw Ashai neu rywbeth cyffelyb i hynny oedd hwnnw. Wrth edrych trwyddo roedden ni'n cael agoriad llygad ar fwy nag un ystyr, yn gweld manylder rhyfeddol ac yn gallu darllen enwau hyd yn oed pan oedd y llongau rai milltiroedd oddi wrthon ni.

Profiad arall nad oes modd dileu dim oll ar ei hyfrydwch oedd cael mynd i bysgota oddi ar greigiau'r 'Byrddau' gyda'r nos. Saif y creigiau a gafodd yr enw hwnnw rhwng Porth y Garreg Fawr a Thrwyn y Fuwch a chynrychiolant un o'r ychydig fannau ar yr arfordir lle roedd y grym a wnaeth y gweddill o'r creigiau yn ysgythrog wedi methu cam ac wedi gadael ar ei ôl ryw ychydig o wastadedd y gellid sefyll yn weddol gyfforddus arno. Roedd y Byrddau yn fan ymgynnull poblogaidd ym misoedd yr Haf a llawer ohonon ni'r bechgyn yn bwrw ein prentisiaeth fel pysgotwyr yno yng nghwmni'r ffyddloniaid hŷn, hir eu hamynedd. Cyn mynd byddai angen hel abwyd a golygai hynny gofio am amser y trai a mynd gyda'r rhaw a'r bwced i gloddio am bryfed duon yn nhywod Lamorllan neu Borth y Garreg Fawr yn y bore neu'r pnawn. Polion bambŵ o wahanol faintioli oedd defnydd y wialen ac i fod yn barchus roedd angen cynilo digon o bres poced i brynu'r tacl priodol yn siop Griff Beics. Yn aml, wrth i ni eistedd yn dalog yn disgwyl am fachiad byddai haul canol haf yn machlud dros y gorwel o'n blaenau a llonyddwch yn teyrnasu dros bopeth. Y nosweithiau hynny sy'n aros yn y cof ymhell ar ôl i'r atgofion am golli tacl a mynd adref yn waglaw ar ôl oriau o ddeisyfu'n ofer am bysgodyn gilio'n llwyr.

Cyrchfan arall oedd yn denu nifer ohonon ni'r bechgyn oedd Llaneilian. Yn ystod gwyliau'r ysgol ac ar Sadyrnau, os nad oedd y tywydd yn wael, byddai criw bach ohonon ni'n dal y bws Crosville ugain munud wedi un oddi wrth y *Royal* ac wedi cyrraedd yn cwrdd â chriw hogia Llaneilian. Ymhlith y rheini roedd Bedwyr Lewis Jones a Geraint Percy ei frawd, Rolant a Tomi Williams y Gors, a David Barnsley. Yn yr haf, traeth Llaneilian fyddai'n cyrchfan, yn stwna hyd y creigiau, yn nofio yn y môr neu'n cerdded ar hyd y ffordd garegog at Drwyn y Leinws ac yn stwna o gwmpas y goleudy yn y gobaith y byddai un o'r staff yn ein gwahodd i mewn i weld rhyfeddodau'r lampau enfawr. Dro arall byddem yn mentro at yr hen Chwarel Sglaets fel y bydden ni'n yn cyfeirio ati. Yno, yn fawr ein rhyfyg, roedden ni'n mentro mynd i lawr o ben uchaf y clogwyni ac at lefel y môr trwy ddefnyddio'r grisiau enbyd o beryglus yr oedd rhyw drueiniaid o chwarelwyr wedi eu naddu o'r graig galed. Roedd y chwarelwyr hynny wedi hen droi eu cefnau ar y lle a'r gwylanod, oedd gyda'u crïo aflafar yn gwarafun i ni fod yno, yn ein hatgoffa mai eu heiddo hwy oedd y lle bellach.

Pêl-droed neu ryw fersiwn gwledig o'r gêm honno ar un o gaeau digon garw cartref Bedwyr a Geraint fyddai hi yn y gaeaf, gyda Bedwyr yn rhyw led-ddisgleirio yn y gôl a'r lleill ohonon ni, wrth i ni ymbalfalu am y bêl yn y rhychau a'r gwair hir yn ffansïo'n hunain fel sêr rhai o'r timau pêl droed oedd yn ffasiynol ar y pryd. Mae'r ffaith fy mod i, yn Gymro bach yn byw yng ngogledd Môn, yn cefnogi Arsenal, a Rolant y Gors, fy ffrind gorau yn yr ysgol yn cefnogi Charlton Athletic, yn siarad cyfrolau am rym y propaganda a fodolai o blaid y gêm hyd yn oed y pryd hynny. Erbyn meddwl, doedd gen i ddim syniad yn y byd yn lle roedd Arsenal, gan gredu, am wn i, mai un o drefi mawr Lloegr oedd hi.

Ambell waith, pan fyddai hi'n troi'n wlyb, fe fydden ni'n cael mynd i fochel i Glan Eilian, cartref Geraint a Bedwyr a thrwy hynny yn dod i gysylltiad â'u tad, Percy Ogwen Jones. Yn ystod rhai o'r prynhawniau hynny y cefais i fynd i mewn i'w stydi, y stydi gyntaf y rhoddais i fy nhraed ynddi erioed, a chael cyfle i ryfeddu at ystafell oedd â llyfrau yn llenwi bob twll a chornel ohoni. Roedd gan Percy Ogwen y ddawn brin o roi'r argraff, hyd yn oed i blentyn fel fi, fy mod yn bwysig yn ei olwg, ac mae gen i gof da am ei ddull hamddenol, braf, o sgwrsio, ac am y parch a amlygai ataf i a phawb o'r bechgyn eraill. Ystyriaf y ffaith fy mod wedi cael adnabod un mor unplyg ac athrylithgar yn fraint.

Ar lawer ystyr roedd Percy Ogwen yn ŵr anghonfensiynol. Roedd yn wrthwynebydd cydwybodol yn ystod Rhyfel Mawr 1914-18 ac fe'i cosbwyd yn llym am ei safiad trwy ei garcharu ar Dartmoor am dair blynedd. Wedi cyfnod yn gweithio ar y *Western Mail*, bu'n gyfrifol am sefydlu'r *Dinesydd* ac yna aeth i weithio ar staff y *Daily Herald*. Roedd wedi dychwelyd i Gymru i weithio ar staff *Y Cymro* ac i Ddinbych yn 1938 cyn dod i Laneilian i ymddeol. Er bod gan fy nhad a Daid Llan barch mawr iddo, roedden nhw, fel llawer o bobl yr ardal, yn anghysurus yn ei gylch am ei fod yn arddel ei Sosialaeth yn agored. Ar ben hynny, roedd yn un o'r 'deallusion' ac yn dioddef o'r clwy marwol hwnnw sy'n effeithio er gwaeth ar bobl sy'n darllen gormod o lyfrau. Doeddwn i ddim yn ymwybodol o hynny ar y pryd, ond yn y cyfnod hwnnw, pan oedden ni'n cicio pêl yn wirion gyda'i feibion, roedd Percy Ogwen, Dr Thomas Jones, a ddaeth wedyn yn Syr, ac aelodau eraill o Gyngor Sir Fôn yn gweithio'n ddyfal i sefydlu'r consensws a fyddai'n arwain at sefydlu ysgolion cyfun cyntaf gwledydd Prydain ar yr ynys.

DECHRAU NEWID BYD

Er bod dychweliad dynion ifanc y dref o'r rhyfel wedi dod ag asbri a bywiogrwydd newydd i'w bywyd am gyfnod, siawns na fyddai'n wir dweud bod yr heddwch a ddaeth i deyrnasu ar draws Ewrop, yn eironig ddigon, wedi dod ag anniddigrwydd ac ansefydlogrwydd yn ei sgil i Amlwch ac i gefn gwlad Cymru yn gyffredinol. Ac os llwyddodd y dref i ymdopi gyda newidiadau chwyldroadol yn ystod ei gorffennol, ac i integreiddio diwylliannau ac ieithoedd a throi pobl a fu unwaith yn estroniaid yn Gymry o ran iaith os nad o ran meddylfryd, y tro hwn roedd yr her a'i hwynebai yn un llawer mwy sylweddol.

Ar y ffermydd a wnâi gymaint o gyfraniad i economi'r cylch roedd y broses o fecaneiddio a oedd wedi ennill troedle rhwng y ddau Ryfel Byd bellach yn mynd rhagddi yn ddilyffethair a nifer y dynion a gyflogid ar y ffermydd yn gostwng yn frawychus o sydyn. I lawer teulu, ac i bobl ifanc yn enwedig, doedd dim gobaith ennill swydd gwerth ei chael yn eu cynefin, a dim ond ymhell o Amlwch, Ynys Môn a Chymru yr oedd rhagolygon yn bodoli am fywyd gwell. Ond os prinhau oedd hanes ceffylau ar ffermydd y cyfnod, ar ffyrdd yr Ynys roedd nifer y ceir yn amlhau gyda phob blwyddyn oedd yn mynd heibio. Yn raddol, mor raddol yn wir fel nad oedd neb yn sylwi, fe ddechreuodd natur y boblogaeth newid wrth i'r boblogaeth frodorol gael ei disodli ac wrth i newydd-ddyfodiaid dyrru i'r dref a'i chyffiniau gan brynu tai, ffermydd a thyddynnod a fu cyn hynny yn gartrefi i Gymry dros lawer cenhedlaeth. Dyfodiad y car, yn anad dim, a wnaeth tref a fu'n gymharol anhygyrch cyhyd yn agored i ddylanwadau y byddai'n anodd iawn iddi hi ei gwrthsefyll ac a fyddai mewn ychydig ddegawdau, yn newid ei chymeriad yn llwyr.

Ochr yn ochr â'r newidiadau demograffig hynny, roedd newidiadau eraill, llai amlwg ond yr un mor bellgyrhaeddol yn yr arfaeth sef dyfodiad cyfryngau cyfathrebu torfol yr oedd eu grym tu hwnt i ddim a welwyd cyn hynny. O'n safbwynt ni, bobl ifanc y cyfnod, rhagflaenydd yr hyn oedd ymhen cyfnod byr iawn i droi'n llifeiriant hwnnw oedd rhywbeth o'r enw Radio Luxembourg.

Yn y 'Sioe' y cefais i fy mhrofiad cyntaf o'r math o arlwy blasus yr oedd yr orsaf honno yn ei chynnig i mi. Yn ystod misoedd y gaeaf, ar ôl treulio'r misoedd braf yn teithio o fan i fan yng ngogledd Cymru, byddai'r 'Sioe', sef casgliad o stondinau, bythau, ceir bympio, y ceffylau bach a'r cymeriadau brith a digon lliwgar oedd yn eu rheoli i 'fochel yn eu hendref mewn nifer o siediau digon aflêr yn ymyl y stesion. Ar nos Sadwrn, yn enwedig, byddai pobl a phlant yn tyrru iddi o'r dref ei hun ac o bentrefi fel Rhos-goch, Carreg-lefn, Llanfechell, Cemaes a Llannerch-y-medd, a byddai hen fynd ar y peiriannau hap chwarae, ar bledu peli at y cnau coco ac ar y stondin saethu dartiau. Yn gyfeiliant byddarol i'r cyfan yr oedd caneuon poblogaidd y dydd, a seiniau dieithr ond hynod apelgar lladmeryddion y diwylliant 'pop' Eingl-Americanaidd sydd heddiw wedi meddiannu'r byd i gyd, yn llenwi clustiau a phennau gyda seiniau nad oedden nhw wedi clywed fawr ddim mor amheuthun â nhw erioed o'r blaen.

Credwn am flynyddoedd mai rhyw orsaf anturus a sefydlwyd gan selogion y byd canu poblogaidd oedd Radio Luxembourg, ond erbyn gweld, doedd hi ddim llawn mor ddiniwed â hynny. Yn 1945, wedi i heddwch ddychwelyd i Ewrop, gwnaeth yr Americanwyr a Llywodraeth Llundain ymdrech lew i feddiannu'r holl orsafoedd radio ar y Cyfandir nad oedden nhw wedi cael eu dinistrio yn ystod y rhyfel. Roedden nhw'n gweld y gorsafoedd hynny fel arfau pwerus i gadw miloedd o filwyr segur yn ddiddig trwy ddarparu arlwy o gerddoriaeth 'ysgafn' ar eu cyfer. Cuddiodd y Saeson eu bwriadau o olwg y cyhoedd trwy ddefnyddio'r BBC i weithredu ar eu rhan ac o dan eu dylanwad y corff ymddangosiadol barchus hwnnw a chryn bwysau o du Washington, dechreuodd gorsaf Radio Luxembourg ddarlledu rhaglenni yn Saesneg. Am ei bod hi'n darlledu ar y donfedd hir, roedd ei rhaglenni i'w clywed yn ddidrafferth ym mhob rhan o Ewrop ac yn cael croeso arbennig yng nghartrefi'r rhai ohonon ni oedd wedi dechrau cael blas ar y canu newydd y bu'r Sioe yn eu pwnio i'n pennau am fisoedd. Hyd yn oed ym mhellafoedd Môn, ar y silff yng nghegin y Corwas, pryd bynnag y cawn i gyfle, roedd modd symud y nodwydd ar ddeial yr hen set radio at rif 208 a chael gwledd o bethau pur wahanol i'r arlwy y bu'r Noson Lawen a Chyngherddau 'Mawreddog' y cyfnod yn eu cynnig i mi.

Dylanwad arall, a gysylltaf gyda diwedd fy mhlentyndod, ac un a gafodd gryn ddylanwad arna'i yw'r sinema. Ar lawr uchaf, sef yn yr ystafelloedd ymgynnull, yr adeilad y cyfeiriwn i ato fel siop E B Jones, a gyferbyn â thafarn y *Bull*, y cynhaliwyd y sinema gyntaf yn Amlwch. Roedd hynny cyn fy nghyfnod i, ac yn sinema newydd y dref y cefais i'r fraint o gael fy nghyflwyno i gynhyrchion stiwdios Elstree a Hollywood. Fel y byddai rhywun yn disgwyl yn y cyfnod gwladgarol hwnnw roedd angen synio am sinema newydd Amlwch fel un frenhinol, ac felly y cafodd ei bedyddio gydag enw oedd yn adlewyrchu'r meddylfryd hwnnw. Lleolwyd y '*Royal*' yng ngwaelod y dref ac er mwyn ei gwneud yn deilwng o'i henw dyrchafol cafwyd pensaer i'w chynllunio oedd â thueddiadau *art deco* yn dyrnu yn ei wythiennau. Moethusrwydd oedd un o nodweddion amlycaf y *Royal* a chyda'i seddau moethus a'i system gynhesu effeithiol, cynigiai i lawer o bobl y gornel hon o Fôn amgenach amgylchiadau na'r rhai a fodolai yn eu cartrefi er bod gofyn iddyn nhw anadlu cymylau helaeth o fwg baco gydol yr amser yr oedden nhw yno. Roedd y grisiau a arweiniai i'r oriel, y costiai ddau swllt a thair ceiniog, neu *two and three* yn iaith y cyfnod, i chi gael y fraint o'u hesgyn, wedi'u gwneud o farmor melynwyn. Ar y wal gen ymyl y grisiau, yn gwylio bob cam o'ch eiddo, roedd lluniau Ava Gardner, Rita Hayworth, Dorothy Lamour ac eraill o arwresau Hollywood. Roedd y rheolwr, Mr Morgan, yn ddyn yr oedd ganddo statws pur uchel yn hierarchaeth y dref a byddai'n gwisgo'n ffurfiol, bob amser, er mwyn dangos ei fod yn llawn deilyngu'r statws hwnnw. Pan na fyddai ar ddyletswydd yn y sinema, gweithredai fel *Special Constable*. Gyda Mr Morgan yn cadw llygad barcud ar y sefyllfa, fyddai wiw i neb symud ar ddiwedd perfformiad nes byddai anthem genedlaethol Lloegr wedi'i chanu o'i chwr.

I mi, am flynyddoedd, roedd y *Royal* yn lle rhyfeddol, yn lle y medrwn i freuddwydio ynddo gyda'm llygaid yn llydan agored fel y dywedodd rhywun. Y *matinée*, ar bnawn Sadwrn, oedd un o uchelfannau fy wythnos ac yno y cefais i, fel miloedd o Gymry eraill, fy nghyflwyno i Tarzan a Roy Rogers, Tex Ritter, y *Lone Ranger* ac arwyr seliwloid eraill y cyfnod. Ffilmiau adweithiol eu safbwynt, amrwd eu gwneuthuriad oedd mwyafrif y rhain, eu hactorion bron i gyd yn brennaidd a chlogyrnaidd, a'r agweddau a'r gwerthoedd oedd yn cael eu cyfleu drwy eu cyfrwng yn rhai digon gwrthun ar lawer ystyr. Byrdwn y rhan fwyaf ohonyn nhw oedd ein darbwyllo mai o faril gwn y daw cyfiawnder. Er hynny, i mi, ar y pryd, roedden nhw'n gyfan gwbl hudolus a chefais fy swyno'n llwyr gan y cyfrwng pwerus a newydd hwn. Er gwell neu er gwaeth, fe fu'r ffilmiau yn gyfrwng i ehangu fy myd a'm dealltwriaeth a rhoi fy mywyd, fel ag yr oedd o, mewn cyd-destun.

O safbwynt arall, fodd bynnag, yn ystod *matinée* prynhawniau Sadwrn y *Royal* y deuthum wyneb yn wyneb ag elfen bur sinistr, ac un nad oeddwn i'n ymwybodol ohoni o gwbl cyn hynny. Roedd gan deulu Stein, sef y teulu a gadwai'r siop fwyaf diddorol yn Amlwch, fab, ond er ein bod ni'n dau yn cyfoesi ni fyddai Moses, fel y gelwid ef, yn cymdeithasu mewn unrhyw fodd hefo fi na neb arall o'i gyfoedion. Dim ond yn y *matinée* y byddai'n ymddangos ac o'r herwydd roedd ei bresenoldeb yn destun crechwen a gwaradwydd. Cyn i'r ffilm ddechrau, byddai rhai o'r bechgyn mawr yn dechrau ei herio, yn dechrau taflu pethau ato ac yn ei erlid yn ddidrugaredd. Hwyl fawr oedd y cyfan yng ngolwg y rhan fwyaf ohonon ni, ond heddiw mae rhywun yn cofio beth oedd wedi digwydd i'r Iddewon yn Buchenwald ac Auschwitz ac yn cywilyddio o'r herwydd.

Mae'r ffilm Eidalaidd, *Cinema Paradiso*, a ddaeth i'm sylw yn ystod y blynyddoedd diwethaf hyn, yn adlewyrchiad perffaith, bron, o'r gwahaniaeth a wnaeth y sinema i mi ac i'r gymdeithas yr oeddwn yn perthyn iddi. Yn y ffilm ddiledryw honno, daw'r cyfrwng newydd am y tro cyntaf i bentref gwledig yn yr Eidal lle mae hi'n bygwth yr hen ffordd o fyw ac awdurdod yr Eglwys Gatholig. Er mwyn cadw rheolaeth ar y cyfrwng newydd a sicrhau nad yw'n peryglu ac yn tanseilio safonau moesol y pentrefwyr, a chyn caniatáu i'r pentrefwyr weld unrhyw un o'r ffilmiau, mae'r offeiriad lleol yn mynnu edrych ar bob un ffilm er mwyn eu sensro. Ar orchymyn yr offeiriad, gwaith y gŵr sy'n gofalu am y taflunydd yw torri o'r ffilmiau unrhyw olygfeydd sy'n dangos dynion a merched yn cofleidio neu'n cusanu, a'u diosg. Yr hyn sy'n ganolog iddi yw'r berthynas sy'n datblygu rhwng y gŵr sy'n gyfrifol am y taflunydd a bachgen ifanc o'r enw Salvatore sy'n byw yn y pentref. Mae'r ffilm yn adlewyrchiad gwych o'r modd y mae cymdeithas yn ceisio dod i delerau gyda newidiadau anorfod ac mae rhyw edefyn o hiraeth dwys am ddoe na ddaw byth yn ôl yn rhedeg trwyddi.

Pan welais i *Cinema Paradiso* am y tro cyntaf roedd y tebygrwydd rhwng profiad Salvatore yn y ffilm a'm profiad i fy hun yn rhyfeddol. Mr Gough, neu 'Goff bach' fel roedden ni yn cyfeirio ato tu ôl i'w gefn, oedd meistr y taflunydd yn y *Royal* a chawn i a nifer o fy ffrindiau, os byddai hwyl dda arno, ddringo'r grisiau serth tu allan i gefn y *Royal* a mynd ato i'r ystafell lle roedd y ddau daflunydd anferthol yn bwrw eu delweddau llachar trwy fwrllwch y mwg baco yn y sinema islaw. Weithiau byddai trychineb yn digwydd, y ffilm yn torri yn y taflunydd a Goff bach yn gorfod troi'r peiriant i ffwrdd. I adfer y sefyllfa byddai Goff yn tynnu'r darn ffilm oedd yn ddiffygiol o berfedd y peiriant ac yn impio'r ddau ben rhydd yn ei gilydd er mwyn i'r sioe fedru mynd yn ei blaen. Gafael eithaf unigryw oedd gan Goff bach ar y Gymraeg a byddai ei ymadroddi yn ystod yr argyfyngau hyn yn lliwgar o ddwyieithog. Caen ninnau'r bechgyn ryw bleser masocistig wrth ei weld yn ymgiprys â'i beiriannau a phleser mwy diniwed o lawer wrth godi'r darnau ffilm a gafodd eu hepgor ganddo cyn eu stwffio i'n pocedi er mwyn i ni fedru edrych ar y fframiau, fesul un, bore trannoeth. Braint fawr arall, gysylltiol, oedd cael tanio matsien dan un o'r stribedi ffilm a sawru'r arogl seliwlos hyfryd a ddeuai yn sgil y llosgi!

Gan bwyll bach, heb i mi sylweddoli hynny, roedd y byd clòs a chynnes yr oeddwn i wedi byw ynddo yn dechrau cael ei danseilio a'r byd mawr, mwy cynhyrfus yn dod i gymryd ei le wrth i ddylanwad y sinema, y sioe, a'r diwylliant a gynrychiolid ganddyn nhw ymwthio mwy a mwy i fy mywyd. Ochr yn ochr â'r newidiadau hynny, roeddwn innau hefyd yn newid a chyn bo hir roedd eginoedd *angst* adolesens yn fy arteithio a daeth swildod poenus i'm meddiannu ac i gau'r drws yn glep ar yr hyn a fu. Dyna pryd, mae'n debyg, y gwnaeth fy mhlentyndod i ddirwyn i ben.

Wrth lunio'r atgofion hyn am fy mhlentyndod rydw i wedi dethol a dewis ac ystumio ac alla'i ddim honni am eiliad y gellir ymddiried yn yr hyn a gofnodais i. Bellach mae sglein gwreiddiol hen brofiadau yn rhwym o fod wedi pylu a gwendidau cof amherffaith a llawer ffactor arall wedi effeithio arna'i. Siawns hefyd na fûm i'n rhy barod i wthio atgofion nad ydw i'n dymuno meddwl gormod amdanyn nhw o'r neilltu tra rydw i wedi bod yn or-barod i addurno'r rhai rydw i'n eu coleddu.

Mae'n bosibl, felly, mai'r cyfan a wnes i, dan gochl adalw fy mhlentyndod, oedd ceisio chwilio, yng ngwâl fy ngorffennol, am ryw fan gwyn neu ddinas noddfa i mi fy hun. Cysuraf fy hun trwy gredu nad fi yw'r cyntaf, o bell ffordd, i wneud hynny. Rhoddodd Hywel Teifi Edwards, yn *'O'r Pentre Gwyn i Gwmderi'* ei fys ar yr un peth yn union:

> Y mae arnom angen lle i feddwl yn dda amdano tra byddwn ar y ddaear hon, lle i gilio iddo ar dro i adfer ffydd ynom ein hunain, a lle i ragori arnom ein hunain trwy ras y dychymyg.